сло[illegible]
рус[illegible]
язы[illegible]

Л. Г. САЯХОВА Д. М. ХАСАНОВА

Иллюстрированный тематический словарь русского языка

МОСКВА
„РУССКИЙ ЯЗЫК"
1989

ББК 81. 2Р-4
С 22

Рецензенты:
кандидат филологических наук В. В. МОРКОВКИН,
кандидат филологических наук С. П. НОВИКОВ

Внешнее оформление и макет *И. В. Борисовой*

Иллюстрации художников

Л. Д. Андреева, И. В. Борисовой, З. Ю. Буттаева, А. М. Гликина, В. С. Голубева, Н. Л. Золотовой, Г. М. Сидоровой, Ю. М. Славновой, Б. К. Шаповалова, В. Ф. Шарковой

САЯХОВА Л. Г., ХАСАНОВА Д. М.

С 22 Иллюстрированный тематический словарь русского языка. – М.: Рус. яз., 1989. – 224 с., ил.

ISBN 5–200–00779–8

Иллюстрированный тематический словарь русского языка предназначается для учащихся и преподавателей русского языка зарубежных и национальных школ.

Структурной основой словаря являются тематические картинки, отражающие реалии, относящиеся к определенной теме или ситуации. Лексика, не нашедшая изобразительного отражения, но важная для данной темы, дается дополнительными списками.

В словаре представлено более 40 тем по 4 разделам: ,,Человек'', ,,Общество'', ,,Природа'', ,,Пространство, время, мера, количество''.

Словарь имеет алфавитный указатель. Начальный этап.

Лена Галиевна Саяхова,
Динара Магарифовна Хасанова

Иллюстрированный тематический словарь русского языка

Зав. редакцией Т. М. Никитина

Редакторы С. Н. Лацис, Т. М. Никитина, С. Ю. Ремизова
Художественный редактор Ю. М. Славнова
Корректор М. Х. Камалутдинова
Технический редактор Г. Н. Аносова

ИБ № 5651

Подписано в печать 17.08.89. Формат 70×108/16. Бумага офсетная № 1. Гарнитура пресс-роман. Печать офсетная (оригинал-макет). Усл. печ. л. 19,6. Усл. кр.-отт. 80,5. Уч.-изд. л. 21,04. Тираж 70000 экз. Заказ № 263. Цена 2 р. 40 к. Издательство „Русский язык" В/О „Совэкспорткнига" Государственного комитета СССР по печати. 103012 Москва, Старопанский пер., 1/5. Ордена Трудового Красного Знамени Калининский полиграфический комбинат Государственного комитета СССР по печати. 170024 Калинин, пр. Ленина, 5.

С $\frac{4602030000-163}{015(01)-89}$ 219–89

ISBN 5–200–00779–8

СОДЕРЖАНИЕ

РУССКИЙ АЛФАВИТ

Аа *Аа* [а]
Бб *Бб* [бэ]
Вв *Вв* [вэ]
Гг *Гг* [гэ]
Дд *Дд* [дэ]
Ее *Ее* [е]
Ёё *Ёё* [ё]
Жж *Жж* [жэ]
Зз *Зз* [зэ]
Ии *Ии* [и]
Йй *Йй* [и краткое]

Кк *Кк* [ка]
Лл *Лл* [эль]
Мм *Мм* [эм]
Нн *Нн* [эн]
Оо *Оо* [о]
Пп *Пп* [пэ]
Рр *Рр* [эр]
Сс *Сс* [эс]
Тт *Тт* [тэ]
Уу *Уу* [у]
Фф *Фф* [эф]

Хх *Хх* [ха]
Цц *Цц* [цэ]
Чч *Чч* [че]
Шш *Шш* [ша]
Щщ *Щщ* [ща]
Ъъ *Ъъ* [твёрдый знак]
Ыы *Ыы* [ы]
Ьь *Ьь* [мягкий знак]
Ээ *Ээ* [э оборотное]
Юю *Юю* [ю]
Яя *Яя* [я]

ДОРОГИЕ ДРУЗЬЯ!

У вас в рука́х „Темати́ческий иллюстри́рованный слова́рь ру́сского языка́“. Он ста́нет ва́шим помо́щником в изуче́нии ру́сского языка́. Яркие карти́нки введу́т вас в кра́сочный мир окружа́ющих нас предме́тов и явле́ний.

Обрати́те внима́ние, что ка́ждый предме́т на рису́нке име́ет свой но́мер. Найдя́ под э́тим но́мером сло́во в спи́ске, вы узна́ете назва́ние предме́та. Для того́ что́бы соста́вить выска́зывание по како́й-либо те́ме, описа́ть ситуа́цию, изображённую на рису́нке, вы мо́жете испо́льзовать слова́ и словосочета́ния дополни́тельного спи́ска––имена́ прилага́тельные, глаго́лы, наре́чия, с кото́рыми наибо́лее ча́сто сочета́ются слова́ основно́го спи́ска. Так, наприме́р, откры́в Слова́рь на те́ме „Библиоте́ка“, вы найдёте иллюстра́ции к слова́м: *библио́граф, библиоте́карь, чита́тель, чита́тельница, кни́га, газе́та, журна́л, переплёт, обло́жка, страни́ца, стенд, стелла́ж для книг, катало́г, картоте́ка* **и др.**

Из дополни́тельного спи́ска вам мо́гут пона́добиться словосочета́ния *запи́сываться / записа́ться в библиоте́ку, зака́зывать / заказа́ть кни́гу, занима́ться в чита́льном за́ле, просма́тривать газе́ты, журна́лы* **и т. д.**

Внима́тельно рассмотри́те карти́нки, запо́мните слова́, постара́йтесь акти́вно употребля́ть их в ре́чи.

Жела́ем вам успе́ха в рабо́те со Словарём!

СОВЕТЫ ПРЕПОДАВАТЕЛЮ

Тематический иллюстрированный словарь предназначен для учащихся зарубежных школ. Им могут пользоваться также учащиеся национальных школ.

Особенность организации материала заключается в том, что в Словаре представлены четыре тематических раздела, соотносящихся с основными сферами общения и предметными смысловыми зонами окружающей человека реальной действительности: „Человек", „Общество", „Природа", „Пространство. Время. Количество. Величина. Мера".

В последний раздел включена трудная для усвоения иноязычными учащимися тема „Глаголы движения" – „Перемещение, движение в пространстве (перемещение субъекта действия, перемещение субъекта действия вместе с объектом)". Особенность глаголов движения в русском языке состоит в том, что они передают не только разные способы перемещения (*идти, лететь, плыть, ехать* и т. п.), но и движение направленное (*идти в театр*) – ненаправленное, многократное (*ходить по комнате*).

При усвоении учащимися включенной в Словарь лексической информации функцию опоры выполняет предметно-изобразительная наглядность. Зрительное представление обозначаемого лексической единицей предмета обеспечивает полную адекватность и однозначность толкования, способствует лучшему пониманию значения и запоминанию лексической единицы.

Материал Словаря может привлекаться на разных стадиях учебного процесса – на стадии введения лексической информации и на стадии формирования речевых навыков, когда предметно-изобразительная наглядность используется как внеязыковой стимул, создающий проблемную учебную ситуацию.

Так, например, иллюстративный материал к темам „Город", „Гостиница", „Магазин", „Театр", „Цирк", „Отдых" позволяет предложить учащимся такие формы работы, как учебная игра, ответы на вопросы собеседника, составление и описание ситуации, составление диалогов по ситуации, составление рассказа с опорой на картинку.

Решению задач учебной коммуникативности способствует и лексическая информация дополнительных списков к темам и подтемам Словаря.

Иллюстративный материал может привлекаться и на стадии контроля – при проверке уровня знаний, навыков, умений.

Мы надеемся, что использование Словаря облегчит учащемуся изучение русского языка.

Человек

1. СЕМЬЯ́ И РО́ДСТВЕННЫЕ ОТНОШЕ́НИЯ

НА́ША СЕМЬЯ́

1 оте́ц / па́па
2 мать / ма́ма
3 сын
4 дочь
5 де́душка
6 ба́бушка

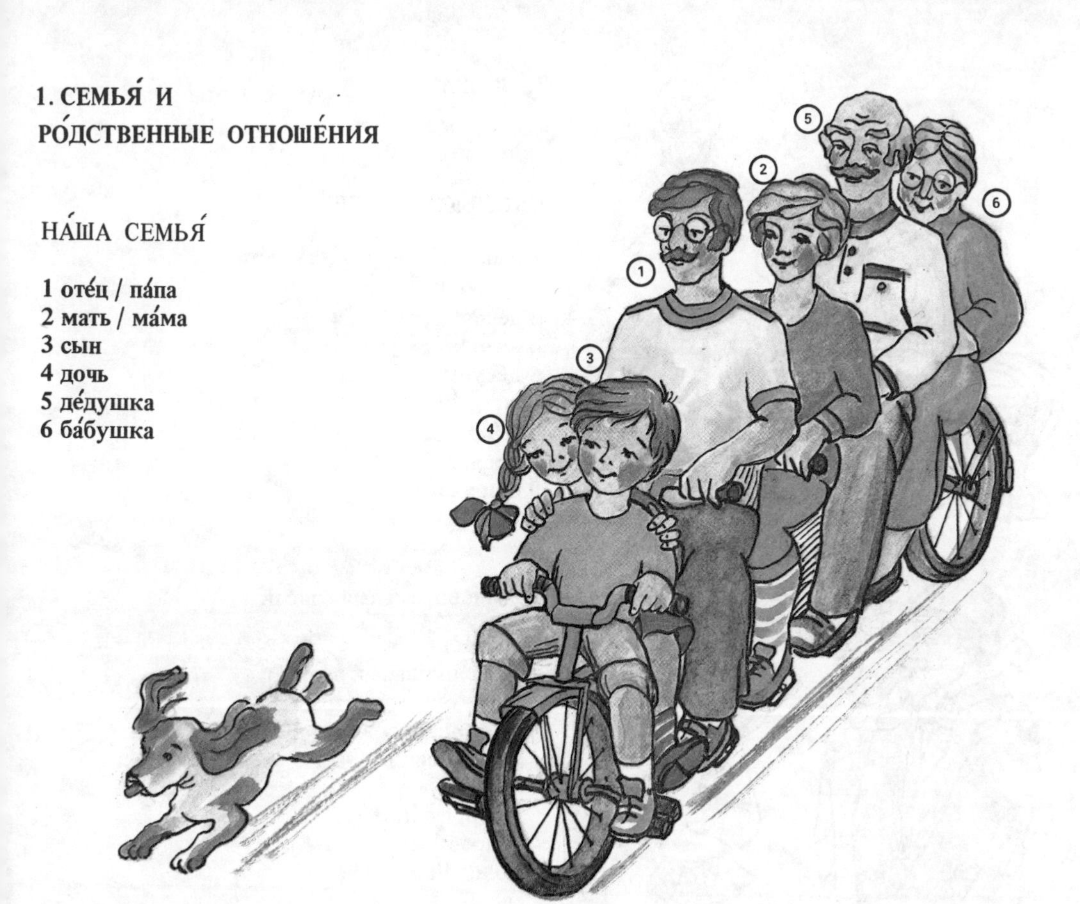

Дополнительный список

семья́
    больша́я семья́
    семья́ из шести́ челове́к
роди́тели
    люби́ть роди́телей
    жить с роди́телями
де́ти, *ед.* ребёнок
    ма́ленькие де́ти
    взро́слые де́ти
брат
    мла́дший брат
    ста́рший брат
    родно́й брат
    двою́родный брат
мать (оте́ц) двои́х дете́й
сестра́
    мла́дшая сестра́
    ста́ршая сестра́
    родна́я сестра́
    двою́родная сестра́
ро́дственник
    бли́зкий ро́дственник
    да́льний ро́дственник
    ро́дственники ма́тери (отца́)
    ро́дственники со стороны́ ма́тери (отца́)

родны́е *сущ.*
    пое́хать к родны́м
дя́дя
тётя
племя́нник
племя́нница
внук
вну́чка
муж
жена́
праба́бушка
праде́душка
и́мя
о́тчество
фами́лия
жена́тый, -ые; -ат
жени́ться *нсв* и *св*
    ~на студе́нтке
за́муж
    выходи́ть / вы́йти за́муж
за́мужем
    быть *нсв* за́мужем
сва́дьба
разво́д
разводи́ться

2. ВО́ЗРАСТ

СКО́ЛЬКО ИМ ЛЕТ

1 ребёнок, *мн.* **ребя́та и де́ти**
2 ма́льчик
3 де́вочка
4 ю́ноша
5 де́вушка
6 мужчи́на
7 же́нщина
8 стари́к
9 стару́ха

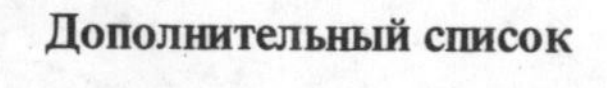

Дополнительный список

во́зраст
    дошко́льный во́зраст
    шко́льный во́зраст
    сре́дний во́зраст
    ста́рший во́зраст
де́тство
    друг де́тства
подро́сток
молодо́й челове́к
ю́ность
мо́лодость
молодёжь
    совреме́нная молодёжь
взро́слые *сущ.*
ста́рость
    дожива́ть / дожи́ть до ста́рости
год, *мн.* го́ды, *род. мн.* лет
    ю́ные го́ды
    ребёнку год
    бра́ту три го́да
жизнь
    прожи́ть *св* жизнь
ю́ный, -ая, -ое, -ые; юн, юна́, ю́но
    ю́ный те́хник
    ю́ная танцо́вщица
молодо́й, -а́я, -о́е, -ы́е; мо́лод, молода́, мо́лодо
    молода́я же́нщина
взро́слый, -ая, -ое, -ые; -ла
    взро́слый сын
    взро́слая дочь
    стать взро́слым
ста́рый, -ая, -ое, -ые; стар, стара́, ста́ро, ста́ры
    ста́рый челове́к
ста́рший, -ая, -ее, -ие
    ста́рший брат
    ста́ршая сестра́
мла́дший, -ая, -ее, -ие

мла́дший брат
мла́дшая сестра́
ста́рше
каза́ться / показа́ться ста́рше
моло́же
вы́глядеть моло́же

3. О́БЛИК ЧЕЛОВЕ́КА

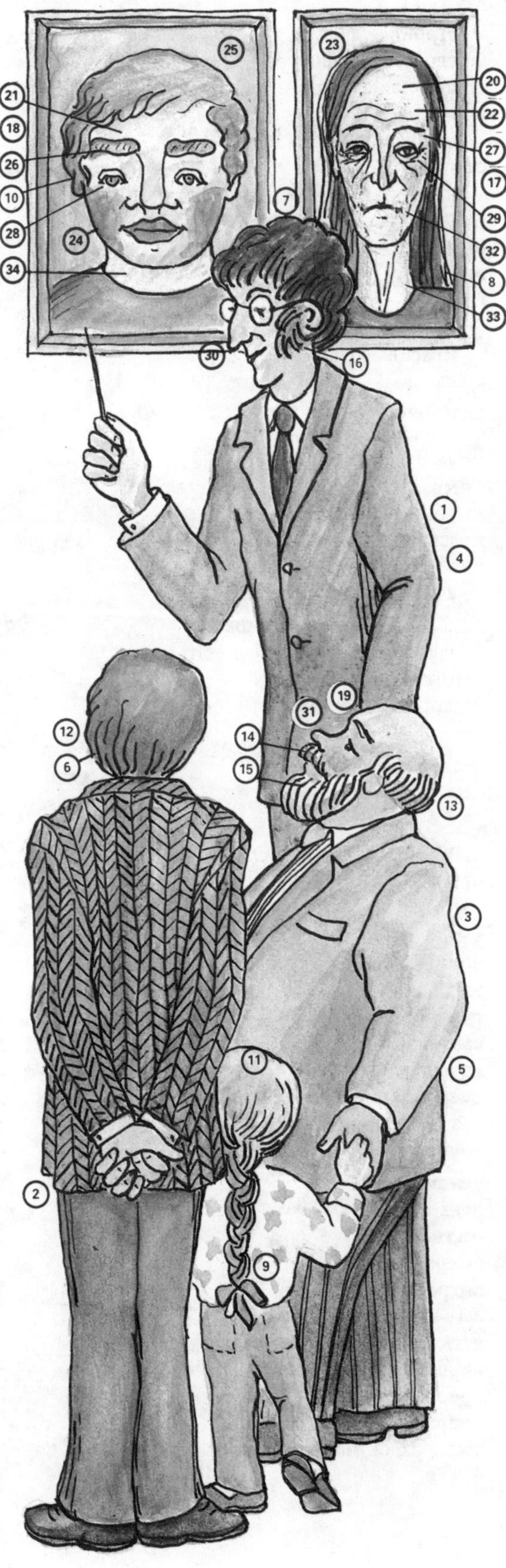

РОСТ. ФИГУ́РА. ВО́ЛОСЫ

1 высо́кий / высо́кого ро́ста
2 сре́дний / сре́днего ро́ста
3 ни́зкий / ни́зкого ро́ста
4 худо́й
5 то́лстый, по́лный
6 гла́дкие, прямы́е во́лосы
7 кудря́вые, курча́вые, выю́щиеся во́лосы
8 дли́нные во́лосы
9 коса́
10 коро́ткие во́лосы
11 све́тлые во́лосы
12 тёмные во́лосы
13 седы́е во́лосы
14 усы́, *ед.* **ус**
15 борода́
16 бакенба́рды, *ед.* **бакенба́рда**

ЛИЦО́. ШЕ́Я

17 ова́льное лицо́
18 кру́глое лицо́
19 про́филь
20 высо́кий лоб
21 ни́зкий лоб
22 морщи́ны, *ед.* **морщи́на**
23 морщи́нистое лицо́
24 щёки, *ед.* **щека́**
25 румя́ное лицо́
26 широ́кие бро́ви
27 то́нкие бро́ви
28 голубы́е глаза́
29 ка́рие глаза́
30 дли́нный нос
31 курно́сый нос
32 то́нкие гу́бы
33 дли́нная ше́я
34 коро́ткая ше́я

Дополнительный список

вне́шность
прия́тная вне́шность
фигу́ра

стро́йная фигу́ра
спорти́вная фигу́ра
суту́лая фигу́ра
причёска
мо́дная причёска
стри́жка
коро́ткая стри́жка
блонди́н
брюне́т
шате́н
глаза́
больши́е глаза́
краси́вые глаза́
ко́жа
бе́лая ко́жа
сму́глая ко́жа
зу́бы
краси́вые зу́бы
ро́вные зу́бы
краси́вый, -ая, -ое, -ые
краси́вая де́вушка
краси́вый ю́ноша
похо́жий, -ая, -ее, -ие; -о́ж
сын похо́ж на отца́ (на мать)
вы́глядеть *нсв*
хорошо́ вы́глядеть

ВНУ́ТРЕННИЕ КА́ЧЕСТВА ЧЕЛОВЕ́КА. ЧЕРТЫ́ ХАРА́КТЕРА

ум
во́ля
ве́жливость
гру́бость
сме́лость
тру́сость
дисциплини́рованность
созна́тельность
трудолю́бие
усидчивость
лень
че́стность
и́скренность
хи́трость
серьёзность
легкомы́сленность
скро́мность
простота́
доброта́
жизнера́достность

4. ОРГАНИ́ЗМ ЧЕЛОВЕ́КА

ТЕ́ЛО

1 голова́
2 заты́лок
3 го́рло
4 ше́я
5 плечо́
6 рука́
7 па́лец
8 большо́й па́лец
9 указа́тельный па́лец
10 сре́дний па́лец
11 безымя́нный па́лец
12 мизи́нец
13 но́готь
14 ладо́нь
15 кула́к
16 запя́стье
17 ло́коть
18 грудь
19 живо́т
20 спина́
21 поясни́ца
22 нога́
23 па́льцы ноги́
24 пя́тка
25 стопа́
26 коле́но
27 бедро́

ВНУ́ТРЕННИЕ О́РГАНЫ

1 мозг
2 язы́к
3 се́рдце
4 лёгкие, *ед.* лёгкое
5 желу́док
6 пе́чень
7 по́чки, *ед.* по́чка
8 пищево́д
9 кише́чник

Дополнительный список

пра́вый, -ая, -ое, -ые
пра́вая рука́
ле́вый, -ая, -ое, -ые
ле́вая рука́
дыша́ть
легко́ дыша́ть
тяжело́ дыша́ть
дыха́ние
о́рганы дыха́ния
би́ться (*о сердце*)

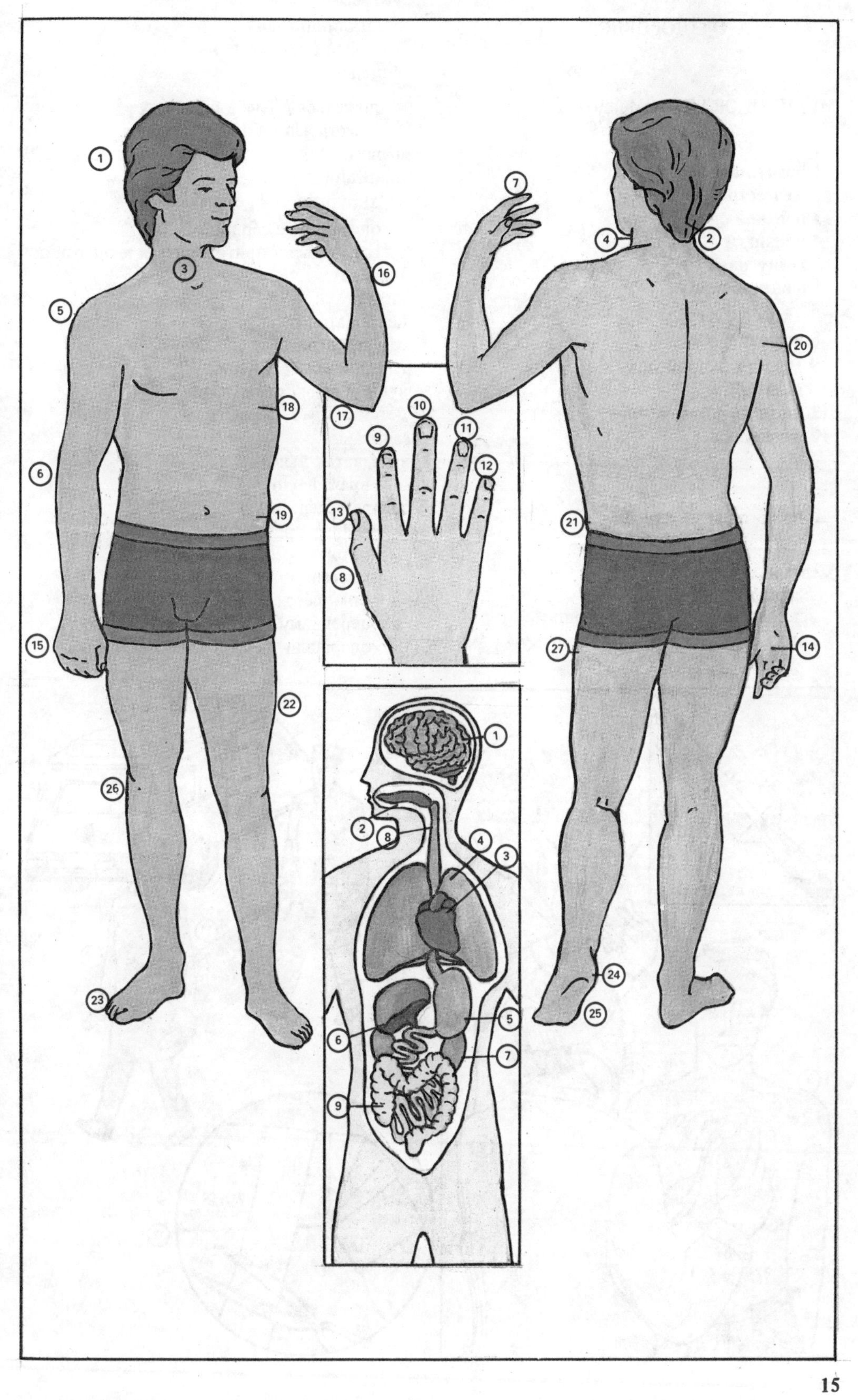
1
2
3
4
5
6
7
8
9
10
11
12
13
14
15
16
17
18
19
20
21
22
23
24
25
26
27
1
2
8
4
3
5
6
7
9

5. ЗАБО́ТА О ЗДОРО́ВЬЕ

МЕДИЦИ́НСКАЯ ПО́МОЩЬ

1 врач / до́ктор
2 медсестра́ / сестра́
3 больно́й *сущ.*
4 шприц
5 гра́дусник
6 фонендоско́п
7 хала́т
8 ша́почка
9 маши́на ско́рой по́мощи
10 санита́р
11 носи́лки *только мн.*
12 перевя́зка

Дополнительный список

медици́нский, -ая, -ое, -ие
медици́нская по́мощь
ско́рая медици́нская по́мощь
ока́зывать / оказа́ть медици́нскую по́мощь
поликли́ника
пойти́ в поликли́нику
больни́ца
ложи́ться / лечь в больни́цу
лежа́ть *нсв* в больни́це
пала́та
опера́ция
хирурги́ческая опера́ция
опера́ция на се́рдце
гото́виться / пригото́виться к опера́ции
терапе́вт
хиру́рг
невропато́лог
отоларинго́лог
глазно́й врач / окули́ст
зубно́й врач / стомато́лог
де́тский врач / педиа́тр
санита́рка
вызыва́ть / вы́звать
~врача́ на дом
де́лать / сде́лать
~ана́лиз кро́ви
~уко́л
~масса́ж
~компре́сс
~перевя́зку
~опера́цию

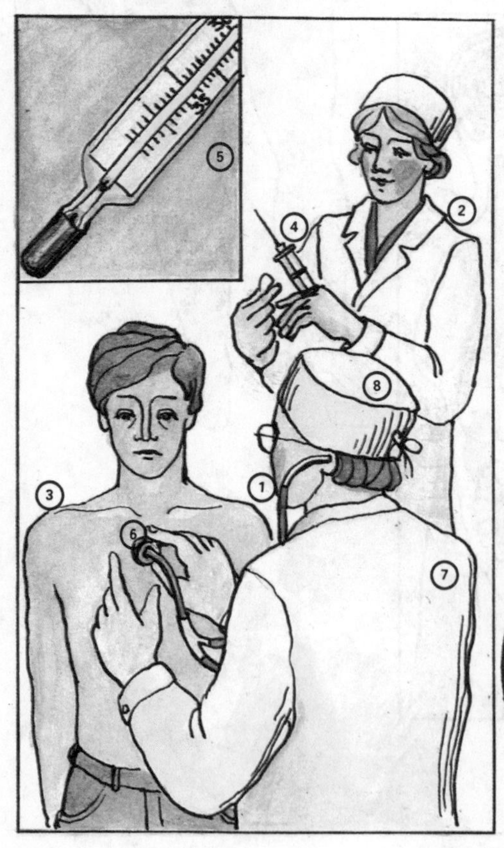

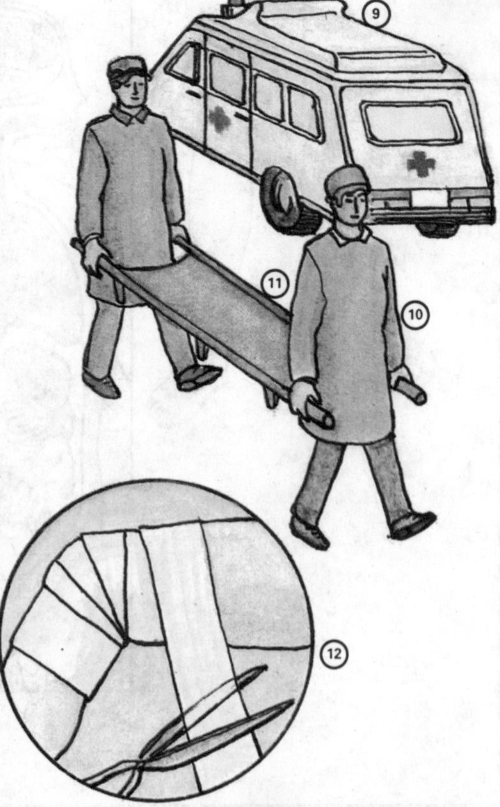

накла́дывать / наложи́ть
 ~гипс
 ~повя́зку
ста́вить / поста́вить
 ~гре́лку
 ~гра́дусник
пульс
 учащённый пульс
запи́сываться / записа́ться
 ~к врачу́
слу́шать / послу́шать
 ~се́рдце
 ~лёгкие
 ~пульс
ме́рить / изме́рить
 ~давле́ние
 ~температу́ру
выпи́сывать / вы́писать
 ~реце́пт
пропи́сывать / прописа́ть
 ~лека́рство
назнача́ть / назна́чить
 ~лече́ние
 ~процеду́ры
 ~иглоука́лывание
ста́вить / поста́вить
 ~горчи́чники
 ~ба́нки

В АПТЕ́КЕ

1 прови́зор
2 мазь
3 табле́тки, *ед.* **табле́тка**
4 порошки́, *ед.* **порошо́к**
5 ка́пли *только мн.*
6 миксту́ра
7 бинт
8 ва́та
9 пипе́тка
10 очки́ *только мн.*
11 опра́ва

Дополнительный список

апте́ка
 гомеопати́ческая апте́ка
 пойти́ / сходи́ть в апте́ку
отде́л гото́вых форм
рецепту́рный отде́л
сре́дство
 болеутоля́ющее сре́дство
 наркоти́ческое сре́дство
 снотво́рное сре́дство
 тонизи́рующее сре́дство
 успока́ивающее сре́дство

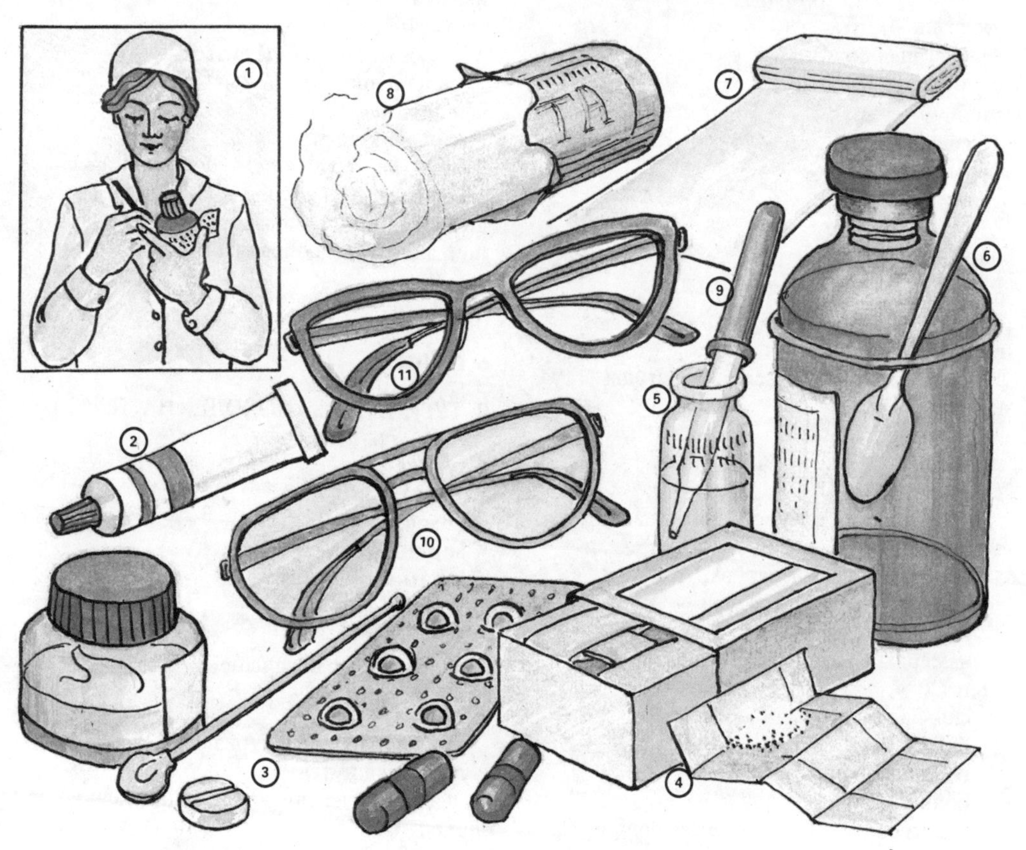

о́птика
лека́рство
  зака́зывать / заказа́ть лека́рство
  принима́ть / приня́ть лека́рство
табле́тки
  табле́тки от головно́й бо́ли
  принима́ть / приня́ть табле́тки
ка́пли
  глазны́е ка́пли
  серде́чные ка́пли
  зака́пывать / зака́пать ка́пли в нос (в глаза́, в у́ши)
насто́йка
  насто́йка йо́да
  насто́йка валерья́ны
миксту́ра
  миксту́ра от ка́шля
  пить / вы́пить миксту́ру
витами́ны / поливитами́ны, *ед.* витами́н
  принима́ть / приня́ть витами́ны (поливитами́ны)
реце́пт
  отпуска́ть / отпусти́ть лека́рство по реце́пту
  получа́ть / получи́ть лека́рство по реце́пту
сма́зывать / сма́зать
  ~ ру́ки вазели́ном
  ~ цара́пину йо́дом
боле́знь
  зара́зная боле́знь
  боле́знь се́рдца
уши́б
  си́льный уши́б
перело́м
  перело́м ноги́
  перело́м руки́
нары́в
растяже́ние
  растяже́ние свя́зок
просту́да
  лечи́ться / вы́лечиться от просту́ды
ка́шель
  си́льный ка́шель
при́ступ
сла́бость
  чу́вствовать / почу́вствовать сла́бость
температу́ра
  норма́льная температу́ра
  повы́шенная температу́ра
  высо́кая температу́ра
  измеря́ть / изме́рить температу́ру
боль
  си́льная боль
  о́страя боль
  головна́я боль
  бо́ли в желу́дке
  чу́вствовать / почу́вствовать боль
лече́ние
  дли́тельное лече́ние
  курс лече́ния
  проходи́ть / пройти́ курс лече́ния
дие́та
  стро́гая дие́та
  моло́чная дие́та
  соблюда́ть *нсв* дие́ту
рентге́н
  де́лать / сде́лать рентге́н
санато́рий
  лечи́ться в санато́рии
куро́рт
  отдыха́ть / отдохну́ть на куро́рте
здоро́вый, -ая, -ое, -ые; -ро́в
  здоро́вые де́ти
  здоро́вое се́рдце
больно́й, -а́я, -о́е, -ы́е; бо́лен, больна́
  больно́й ребёнок
  больно́й желу́док
боле́ть[1] *нсв*
  ~ гри́ппом
  ~ анги́ной
заболе́ть[1] *св*
  ~ гри́ппом
  ~ анги́ной
ушиба́ться / ушиби́ться
  си́льно ушиби́ться
нарыва́ть / нарва́ть
растя́гивать / растяну́ть
простужа́ться / простуди́ться
  си́льно простуди́ться
ка́шлять *нсв*
  си́льно ка́шлять
боле́ть[2] *нсв* (*о голове, зубах, горле*)
заболе́ть[2] *св* (*о голове, зубах, горле*)
выздора́вливать / вы́здороветь
поправля́ться / попра́виться (*о больном*)

6. О́ТДЫХ

В ТУРИ́СТСКОМ ПОХО́ДЕ. НА ПРИВА́ЛЕ

1 тури́ст
2 рюкза́к
3 ко́мпас
4 ка́рта-маршру́т
5 пала́тка
6 костёр

Дополнительный список

тури́зм
  междунаро́дный тури́зм
тури́стская путёвка
  е́здить на юг по тури́стской путёвке
похо́д

тури́стский похо́д
идти́ в похо́д
путеше́ствие
соверша́ть / соверши́ть путеше́ствие
отправля́ться / отпра́виться в путеше́ствие
пое́здка
тури́стская пое́здка
пое́здка на по́езде (на теплохо́де, на авто́бусе)
пое́здка в го́ры
соверша́ть / соверши́ть пое́здку по Сре́дней Азии
путеше́ствовать *нсв*
~ по Кавка́зу

НА ЭКСКУ́РСИИ

1 экскурса́нты
2 экскурсово́д
3 путеводи́тель
4 экскурсио́нный авто́бус
5 па́мятник

Дополнительный список

достопримеча́тельности *обычно мн.*
истори́ческие достопримеча́тельности
достопримеча́тельности го́рода
го́род
вели́чественная, торже́ственная красота́ го́рода
реконстру́кция го́рода
центр
нау́чный, культу́рный центр страны́
промы́шленный, техни́ческий центр страны́
па́мятник
па́мятник архитекту́ры
зо́дчий
архите́ктор
дре́вний, -яя, -ее
дре́вняя столи́ца
дре́вняя кре́пость
дре́внее поселе́ние
совреме́нный, -ая, -ое
совреме́нный архитекту́рный стиль
осма́тривать / осмотре́ть
~ достопримеча́тельности
посеща́ть / посети́ть
~ музе́и

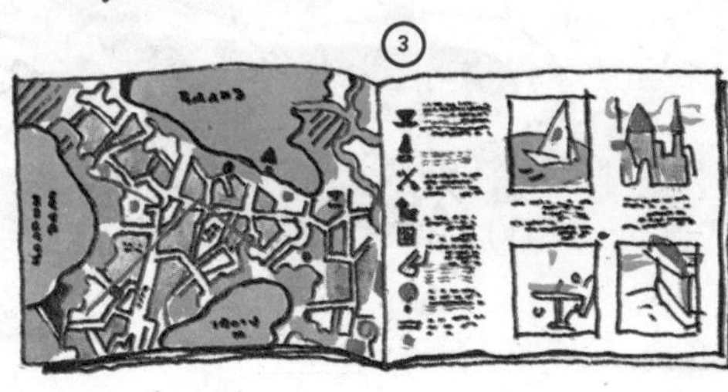

За́ городом. На да́че

1 да́чный уча́сток
2 да́ча
3 вера́нда
4 сад
5 огра́да
6 кали́тка
7 доро́жка
8 лопа́та
9 гра́бли
10 ле́йка
11 шланг
12 клу́мба
13 цветы́, *ед.* **цвето́к**
14 ла́вочка
15 каче́ли
16 гама́к
17 шезло́нг
18 огоро́д
19 гря́дка

На пля́же

(У мо́ря, у реки́, у о́зера)

1 пляж
2 песо́к
3 зонт
4 тент
5 шезло́нг
6 лежа́к

7 **ло́дка**
8 **весло́**
9 **во́дные лы́жи**
10 **ла́сты**. *обычно мн.*
11 **ма́ска**
12 **купа́льник**
13 **купа́льная ша́почка**
14 **каби́на для переодева́ния**

Дополнительный список

зага́р
  краси́вый зага́р
загора́ть / загоре́ть
  ~ на пля́же
лежа́ть *нсв*
  ~на песке́
  ~на лежаке́
сиде́ть *нсв*
  ~ под те́нтом
  ~ под зонто́м
  ~ в шезло́нге
ката́ться *нсв*
  ~ на во́дных лы́жах
  ~ на ло́дке
купа́ться / искупа́ться
  ~ в мо́ре

Общий дополнительный список к теме „Отдых"

выходно́й день
ле́тний о́тдых
отдыха́ть / отдохну́ть
  ~ в до́ме о́тдыха
  ~ на Кавка́зе

7. НАШ ДОМ

О́БЩИЙ ВИД ДО́МА

1 дом
2 кры́ша
3 стена́
4 окно́
5 балко́н
6 ло́джия
7 эта́ж
8 подъе́зд
9 дверь
10 но́мер до́ма

НА ЛЕ́СТНИЧНОЙ ПЛОЩА́ДКЕ

1 ле́стничная площа́дка
2 ле́стница
3 пери́ла
4 мусоропрово́д
5 лифт
6 дверь
7 но́мер кварти́ры
8 звоно́к
9 ру́чка
10 замо́к
11 счётчик
12 ко́врик

Дополнительный список

жить
~ в го́роде
~ в дере́вне
~ на Не́вском проспе́кте
~ в це́нтре го́рода
~ в пе́рвом подъе́зде
~ на пя́том этаже́

дом
но́вый дом
одноэта́жный дом
многоэта́жный дом

до́ма
сиде́ть *нсв* до́ма

домо́й
идти́ *нсв* домо́й
приходи́ть / прийти́ домо́й

закрыва́ть / закры́ть
~ дом
~ кварти́ру

~ дверь на ключ
~ дверь ключо́м
~ дверь на замо́к
открыва́ть / откры́ть
~ дверь
~ окно́
отпира́ть / отпере́ть
~ дверь
выходи́ть / вы́йти
~ из до́ма
~ на балко́н
вызыва́ть / вы́звать
~ лифт
поднима́ться / подня́ться
~ по ле́стнице
~ на ли́фте
~ на пя́тый эта́ж
спуска́ться / спусти́ться
~ по ле́стнице
~ на ли́фте
~ на пе́рвый эта́ж
звони́ть / позвони́ть
~ в кварти́ру
стуча́ть / постуча́ть
~ в дверь

8. КВАРТИ́РА

В ПРИХО́ЖЕЙ

1 прихо́жая
2 пол
3 потоло́к
4 стена́
5 стенно́й шкаф
6 дверь
7 замо́к
8 глазо́к
9 цепо́чка
10 ру́чка
11 доро́жка
12 ве́шалка
13 по́лка
14 я́щик для о́буви
15 зе́ркало
16 свети́льник
17 выключа́тель

Дополнительный список

кварти́ра
  одноко́мнатная (двухко́мнатная, трёх-ко́мнатная, четырёхко́мнатная) кварти́ра
отопле́ние
  центра́льное отопле́ние
вода́
  горя́чая вода́
  холо́дная вода́
газ
освеще́ние
входи́ть / войти́
  ~ в дом
  ~ в кварти́ру
  ~ в ко́мнату
включа́ть / включи́ть
  ~ свет
выключа́ть / вы́ключить
  ~ свет
раздева́ться / разде́ться
класть / положи́ть
  ~ шля́пу на по́лку
ве́шать / пове́сить
  ~ пальто́ на ве́шалку
смотре́ться / посмотре́ться
  ~ в зе́ркало
проходи́ть / пройти́
  ~ по коридо́ру
  ~ в ко́мнату
одева́ться / оде́ться
снима́ть / снять
  ~ пальто́ с ве́шалки
брать / взять
  ~ ша́пку с по́лки
выходи́ть / вы́йти
  ~ из до́ма
  ~ из кварти́ры
  ~ из ко́мнаты
снима́ть / снять
  ~ пальто́
  ~ сапоги́

В ГОСТИ́НОЙ

1 окно́
2 подоко́нник
3 фо́рточка
4 што́ры, *ед.* **што́ра**
5 дверь
6 стол
7 ска́терть
8 ва́за
9 стул
10 кре́сло
11 дива́н
12 сте́нка
13 лю́стра
14 часы́ *только мн.*
15 карти́на
16 ковёр
17 радиоприёмник
18 телеви́зор

Дополнительный список

ме́бель
мя́гкая ме́бель
расставля́ть / расста́вить ме́бель
ме́бельный, -ая, -ое, -ые.
ме́бельный гарниту́р
сиде́ть
~ за столо́м
~ на сту́ле
~ на дива́не
~ в кре́сле
открыва́ть / откры́ть
~ окно́
~ фо́рточку
~ дверь
ве́шать / пове́сить
~ лю́стру
~ карти́ну
~ што́ры
включа́ть / включи́ть
~ радиоприёмник
~ телеви́зор
~ свет
выключа́ть / вы́ключить
~ радиоприёмник
~ телеви́зор
~ свет
заводи́ть / завести́
~ часы́

В СПА́ЛЬНЕ

1 крова́ть
2 матра́с
3 простыня́
4 одея́ло
5 пододея́льник
6 поду́шка
7 на́волочка
8 покрыва́ло
9 ту́мбочка
10 ночни́к
11 бра
12 буди́льник
13 шкаф / платяно́й шкаф
14 зе́ркало
15 ковёр

Дополнительный список

посте́ль
  стели́ть / постели́ть посте́ль
  убира́ть / убра́ть посте́ль
посте́льное бельё
ложи́ться / лечь
  ~ на (в) крова́ть
  ~ в посте́ль
лежа́ть *нсв*
  ~ на дива́не
вставáть / встать
  ~ с крова́ти
  ~ с посте́ли
  ~ с дива́на

В КАБИНЕ́ТЕ

1 пи́сьменный стол
2 насто́льная ла́мпа
3 телефо́н
4 торше́р
5 карти́на
6 кни́жная по́лка
7 кни́га
8 календа́рь
9 журна́льный сто́лик
10 магнитофо́н
11 прои́грыватель
12 транзи́стор

Дополнительный список

отдыха́ть / отдохну́ть
~в кре́сле
занима́ться *нсв*
~ за пи́сьменным столо́м
говори́ть *нсв*
~ по телефо́ну
слу́шать *нсв*
~ магнитофо́н

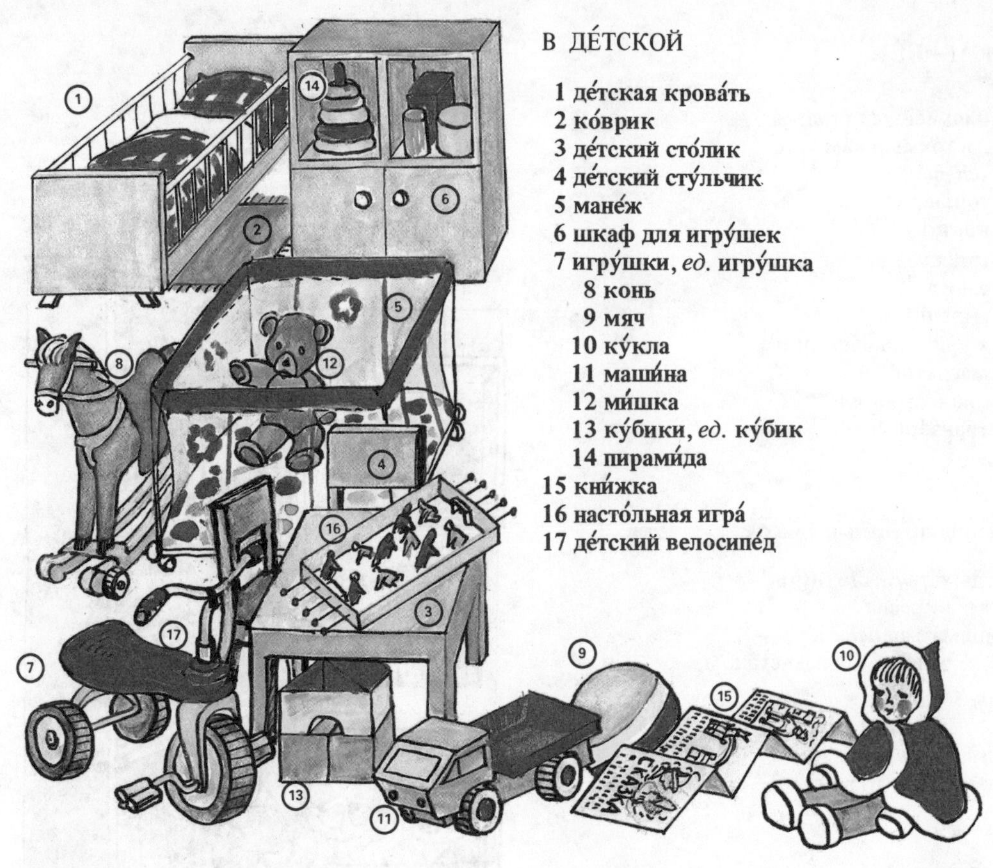

В ДЕ́ТСКОЙ

1 **де́тская крова́ть**
2 **ко́врик**
3 **де́тский сто́лик**
4 **де́тский сту́льчик**
5 **мане́ж**
6 **шкаф для игру́шек**
7 **игру́шки**, *ед.* **игру́шка**
  8 **конь**
  9 **мяч**
  10 **ку́кла**
  11 **маши́на**
  12 **ми́шка**
  13 **ку́бики**, *ед.* **ку́бик**
  14 **пирами́да**
15 **кни́жка**
16 **насто́льная игра́**
17 **де́тский велосипе́д**

В КУ́ХНЕ

1 **ку́хонный стол-ту́мба**
2 **обе́денный стол**
3 **ска́терть**
4 **салфе́тка**
5 **стул**
6 **табуре́тка / табуре́т**
7 **насте́нный шкаф**
8 **по́лка**
9 **ба́нки**
10 **я́щик для овоще́й**
11 **воздухоочисти́тель**
12 **плита́**
  13 **горе́лка**
  14 **духо́вка**
15 **спи́чки**, *ед.* **спи́чка**
16 **мо́йка**
17 **кран**
18 **щётка**
19 **суши́лка** *разг.*
20 **полоте́нце**
21 **крючо́к**
22 **кастрю́ля**
23 **ми́ска**
24 **скорова́рка**
25 **сковорода́**
26 **тёрка**
27 **дуршла́г**
28 **поло́вник**
29 **ска́лка**
30 **разде́лочная доска́**
31 **ча́йник**
32 **кофе́йник**
33 **самова́р**
34 **подно́с**
35 **те́рмос**
36 **бидо́н**
37 **консе́рвный нож**
38 **ключ для открыва́ния буты́лок**
39 **холоди́льник**

Дополнительный список

посу́да / ку́хонная посу́да
электри́ческая плита́ / электроплита́
стели́ть / постели́ть
  ~ ска́терть
ста́вить / поста́вить
  ~ ба́нки на по́лку (в шкаф)
  ~ кастрю́лю (ча́йник, скорова́рку) на плиту́
  ~ пиро́г в духо́вку
  ~ самова́р на стол

1
2
3
4
5
6
7
8
9
10
11
12
13
14
15
16
17
18
19
20
21
22
23
24
25
26
27
28
29
30
31
32
33
34
35
36
37
38
39

снимать / снять
~ банки с полки
~ кастрюлю с плиты
зажигать / зажечь
~ плиту
~ горелку
~ духовку
включать / включить
~ электрическую плиту
выключать / выключить
~ электрическую плиту
открывать / открыть
~ кран
~ бутылку
закрывать / закрыть
~ кран
мыть / вымыть
~ посуду
~ фрукты
вешать / повесить
~ полотенце
раскатывать / раскатать
~ тесто [на доске]
~ тесто [скалкой]
тереть *нсв*
~ морковь [на тёрке]
натирать / натереть
~ свёклу [на тёрке]

класть / положить
~ продукты в холодильник
вынимать / вынуть
~ продукты из холодильника

В ВАННОЙ

1 ванна
2 душ
3 смеситель
4 кран
5 раковина
6 кафель
7 мыло
8 шампунь
9 мыльница
10 зубная щётка
11 зубная паста
12 зубной порошок
13 полотенце
14 мочалка
15 губка
16 таз
17 вешалка
18 зеркало
19 коврик
20 корзина для белья

Дополнительный список

откры́вать / откры́ть
~ кран
закрыва́ть / закры́ть
~ кран
умыва́ться / умы́ться
вытира́ться / вы́тереться
~ полоте́нцем
чи́стить / почи́стить
~ зу́бы
мыть / вы́мыть
~ ру́ки [с мы́лом]
~ лицо́
принима́ть / приня́ть
~ ва́нну
~ душ
мы́ться / помы́ться
~ в ва́нне
~ под ду́шем

9. ЭЛЕКТРОПРИБО́РЫ, ПРЕДМЕ́ТЫ БЫ́ТА

КАКИ́МИ ПРИБО́РАМИ И ПРЕДМЕ́ТАМИ МЫ ПО́ЛЬЗУЕМСЯ В БЫТУ́

1 утю́г
2 шнур
3 ви́лка/ште́псель
4 розе́тка
5 глади́льная доска́
6 шве́йная маши́на
7 но́жницы
8 иго́лка
9 ни́тки
10 напёрсток
11 стира́льная маши́на
12 верёвка
13 пылесо́с
14 электрополотёр
15 корзи́нка
16 хозя́йственная су́мка
17 таз
18 ведро́
19 ве́ник
20 сово́к
21 топо́р
22 молото́к
23 гво́зди, *ед.* гвоздь
24 кле́щи
25 отвёртка
26 одёжная щётка
27 обувна́я щётка
28 полова́я щётка

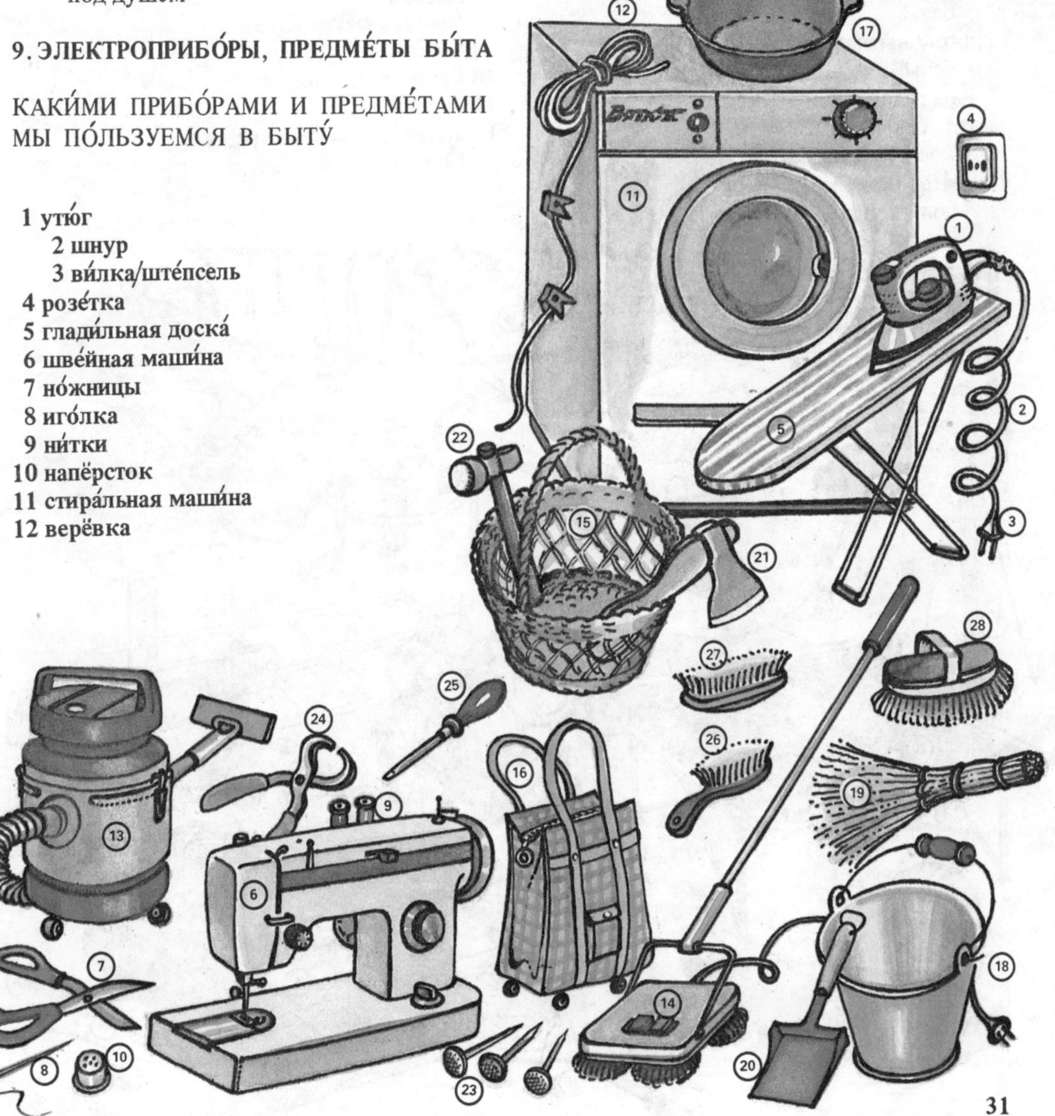

Дополнительный список

вставля́ть / вста́вить
 ~ ви́лку в розе́тку
вынима́ть / вы́нуть
 ~ ви́лку из розе́тки
включа́ть / включи́ть
 ~ утю́г
ре́зать / разре́зать
 ~ ткань
шить / сшить
 ~ пла́тье
вдева́ть /вдеть
 ~ ни́тку в иго́лку
стира́ть / вы́стирать
 ~ бельё
 ~ в стира́льной маши́не
разве́шивать / разве́сить
 ~ бельё
суши́ть / вы́сушить
 ~ бельё
гла́дить / вы́гладить
 ~ бельё
 ~ на глади́льной доске́
чи́стить / почи́стить
 ~ ковёр [пылесо́сом]
натира́ть / натере́ть
 ~ пол [полотёром]
мести́ / подмести́
 ~ пол [ве́ником, полово́й щёткой]
забива́ть / заби́ть
 ~ гвоздь
выдёргивать / вы́дернуть
 ~ гвоздь
чи́стить / почи́стить
 ~ боти́нки (брю́ки) [щёткой]

10. НАШ ДВОР

НА ИГРОВО́Й ПЛОЩА́ДКЕ

1 песо́чница
2 песо́к
3 лопа́тка
4 ведёрко
5 сово́к
6 фо́рмочка
7 грибо́к
8 ла́вочка / скаме́йка
9 каче́ли *только мн.*
10 карусе́ль *только ед.*
11 турни́к
12 волейбо́льная площа́дка
 13 волейбо́льная се́тка

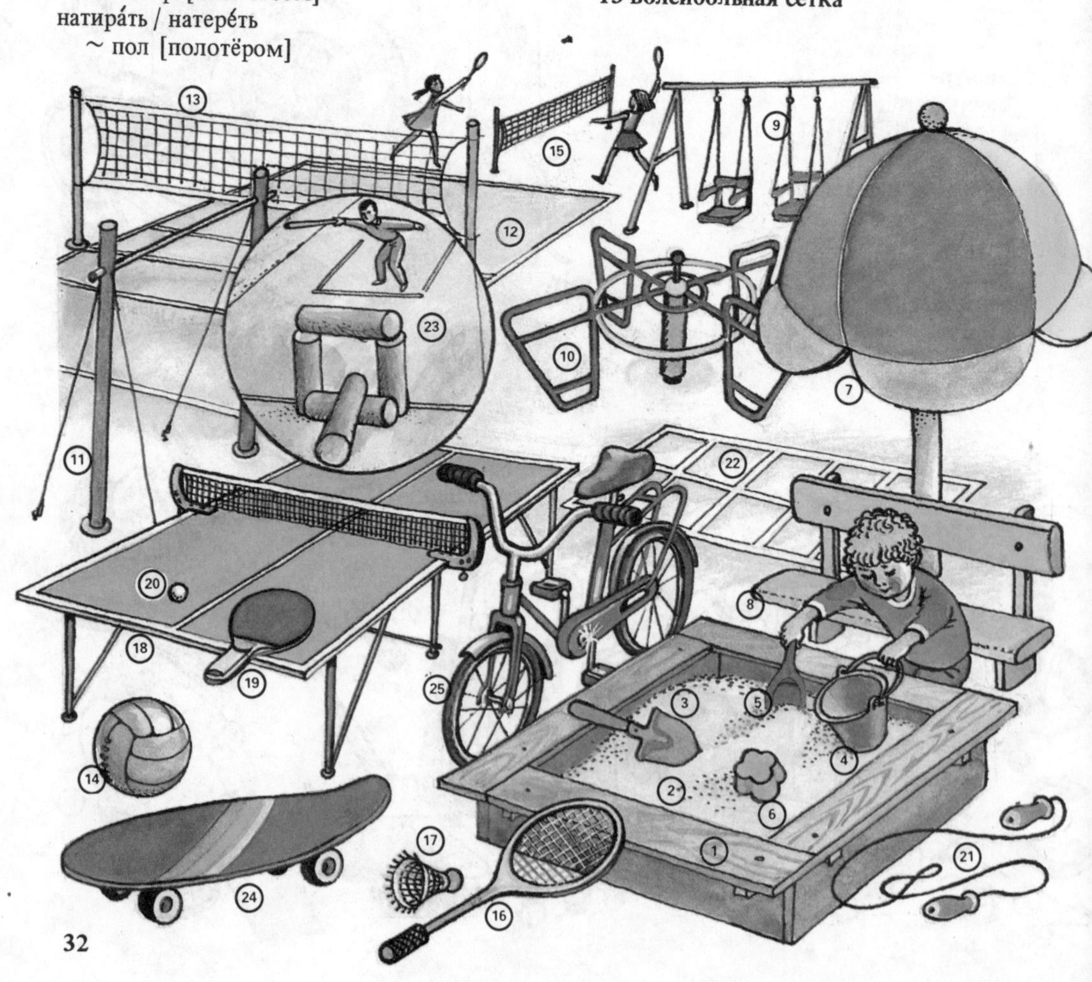

14 мяч
15 бадминто́н *только ед.*
16 раке́тка
17 вола́н
18 насто́льный те́ннис
19 раке́тка
20 мя́чик
21 скака́лка
22 кла́ссы / кла́ссики *только мн.*
23 городки́ *только мн.*
24 ске́йтборд
25 велосипе́д

ВО ДВОРЕ́ ЗИМО́Й

1 като́к
2 хокке́йная коро́бка
3 хокке́йные воро́та
4 ша́йба
5 клю́шка
6 го́рка
7 са́нки *только мн.*
8 сне́жная ба́ба / снегови́к
9 сне́жная кре́пость
10 снежо́к

Дополнительный список

двор
выходи́ть / вы́йти во двор
игра́ть *нсв* во дворе́
бе́гать *нсв* по двору́

площа́дка
игрова́я площа́дка
площа́дка для игр
игра́ть *нсв*
~ в песо́чнице
~ в волейбо́л
~ в футбо́л
~ в хокке́й
~ в бадминто́н
~ в те́ннис
~ в мяч
~ в городки́
~ в кла́ссы (кла́ссики)
~ в пря́тки
~ в снежки́
пры́гать *нсв*
~ че́рез скака́лку
кача́ться *нсв*
~ на каче́лях
ката́ться *нсв*
~ с го́рки
~ на са́нках
~ на конька́х
~ на карусе́ли
лепи́ть / слепи́ть
~ сне́жную ба́бу
~ снежо́к

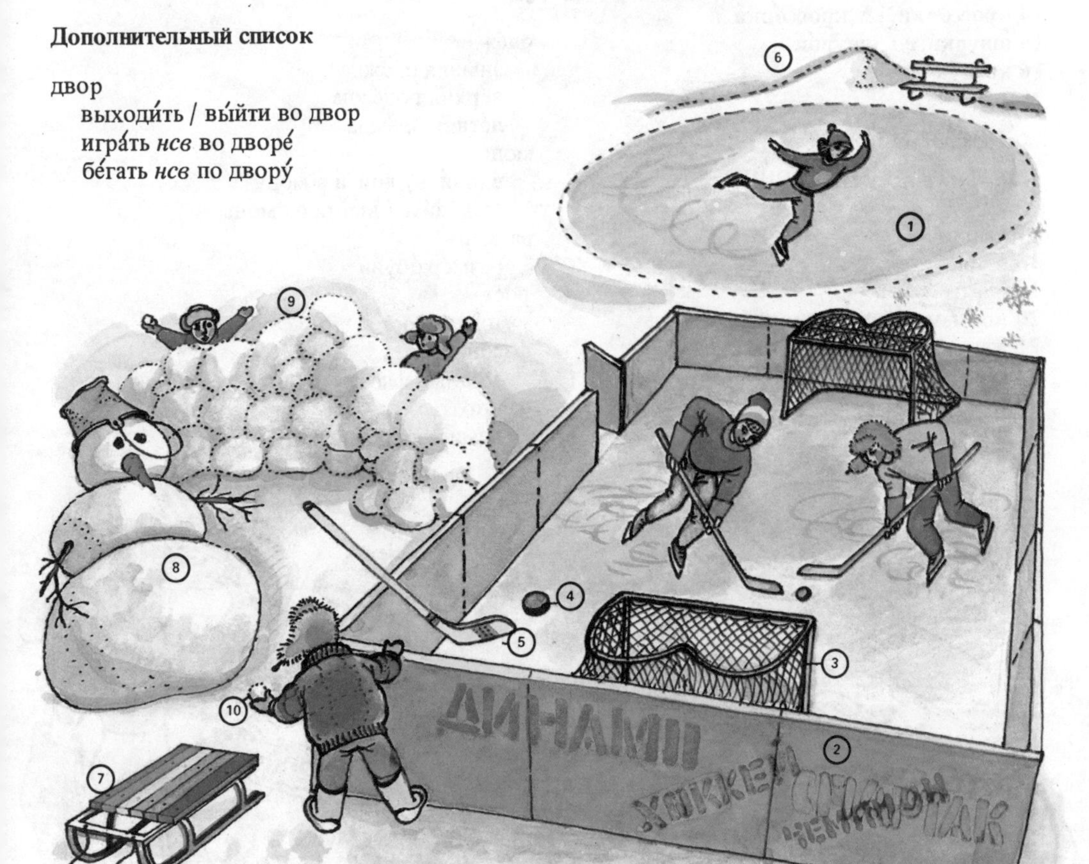

11. ЧТО МЫ НО́СИМ

ГОЛОВНЫ́Е УБО́РЫ
(*см. также тему* МАГАЗИ́Н)

1 мужска́я шля́па
2 же́нская шля́па
3 пана́ма
4 бере́т

ПЕРЧА́ТКИ, ЧУЛКИ́, НОСКИ́
(*см. также тему* МАГАЗИ́Н)

5 перча́тки, *ед.* **перча́тка**
6 ва́режки, *ед.* **варежка**
7 колго́тки *только мн.*

О́БУВЬ (МУЖСКА́Я, ЖЕ́НСКАЯ, ДЕ́ТСКАЯ)
(*см. также тему* МАГАЗИ́Н)

8 ту́фли, *ед.* **ту́фля**
9 боти́нки, *ед.* **боти́нок**
10 сапоги́, *ед.* **сапо́г**
11 ва́ленки, *ед.* **ва́ленок**
12 санда́лии, *ед.* **санда́лия**
13 та́пки, *ед.* **та́пка / та́почки,** *ед.* **та́почка**
14 кроссо́вки, *ед.* **кроссо́вка**
15 шнурки́, *ед.* **шнуро́к**
16 каблу́к

ЖЕ́НСКАЯ ОДЕ́ЖДА
(*см. также тему* МАГАЗИ́Н)

17 пальто́
18 шу́ба
19 пла́тье
20 костю́м
21 жаке́т
22 сарафа́н
23 ко́фта
24 по́яс

МУЖСКА́Я ОДЕ́ЖДА
(*см. также тему* МАГАЗИ́Н)

25 пальто́
26 костю́м
27 пиджа́к
  28 рука́в
  29 воротни́к
  30 карма́н
  31 пу́говица
32 жиле́т
33 брю́ки *только мн.*
34 джи́нсы *только мн.*
35 реме́нь
36 пря́жка
37 руба́шка
38 га́лстук
39 шарф
40 ма́йка
41 трусы́ *только мн.*
42 пижа́ма

Общий дополнительный список к теме „Что мы но́сим"

оде́жда
  зи́мняя оде́жда
  ве́рхняя оде́жда
  ле́тняя оде́жда
мо́да
  входи́ть / войти́ в мо́ду
  выходи́ть / вы́йти из мо́ды
разме́р
  разме́р о́буви
рост
  пя́тый рост
фасо́н
  мо́дный фасо́н
пальто́
  демисезо́нное пальто́

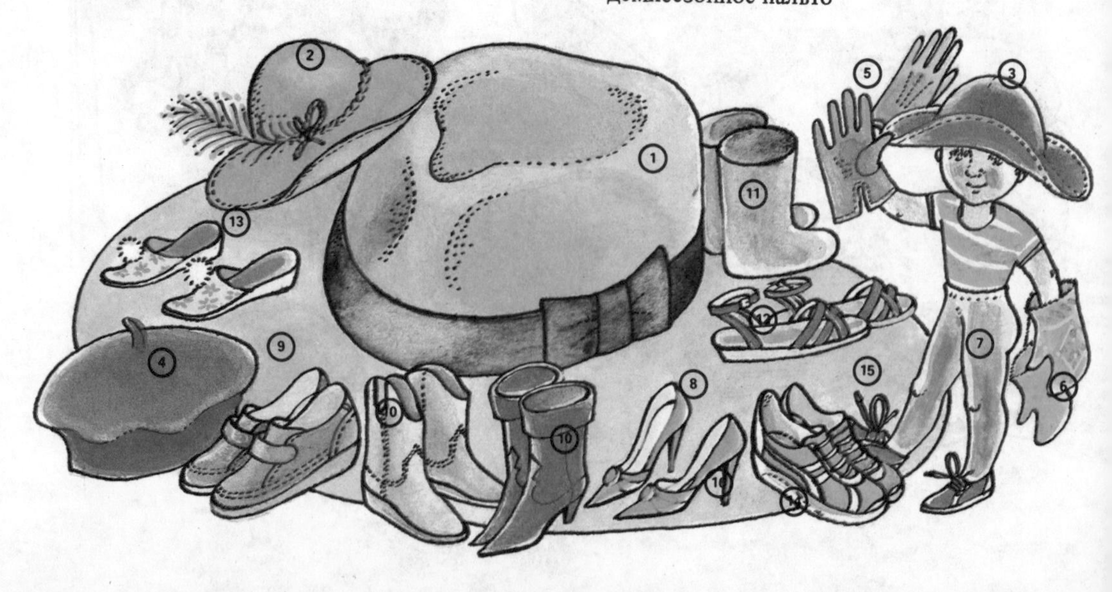

ту́фли
    чёрные ту́фли
    све́тлые ту́фли
каблу́к
    высо́кий каблу́к
    сре́дний каблу́к
    ни́зкий каблу́к
мо́дный, -ая, -ое, -ые; -ден, -дна́, -дно
    мо́дный костю́м
    мо́дный каблу́к
зи́мний, -яя, -ее, -ие
    зи́мняя ша́пка
    зи́мнее пальто́
    зи́мние сапоги́

ле́тний, -яя, -ее, -ие
    ле́тнее пальто́
    ле́тнее пла́тье
    ле́тние ту́фли
мехово́й, -а́я, -о́е, -ы́е
    мехово́й воротни́к
    мехова́я ша́пка
тёплый, -ая, -ое, -ые; тёпел, тепла́, тепло́ и тё-
пло
    тёплые боти́нки
мужско́й, -а́я, -о́е, -и́е
    мужска́я оде́жда
    мужска́я о́бувь
    мужски́е перча́тки

мужски́е носки́
же́нский, -ая, -ое, -ие
же́нская оде́жда
же́нская о́бувь
же́нские перча́тки
же́нские брю́ки
де́тский, -ая, -ое, -ие
де́тская оде́жда
де́тская о́бувь
де́тские колго́тки
шёлковый, -ая, -ое, -ые
шёлковое пла́тье
шёлковая руба́шка
шёлковый га́лстук
шерстяно́й, -а́я, -о́е, -ы́е
шерстяно́й костю́м
шерстяно́е пла́тье
шерстяны́е чулки́
ко́жаный, -ая, -ое, -ые
ко́жаное пальто́
ко́жаная ку́ртка
ко́жаные перча́тки
рези́новый, -ая, -ое, -ые
рези́новая о́бувь
рези́новые сапоги́
надева́ть / наде́ть
~ шля́пу
~ ша́пку
~ пальто́
~ перча́тки
~ га́лстук
снима́ть / снять
~ шля́пу
~ ша́пку
~ пальто́
~ перча́тки
~ га́лстук
носи́ть *нсв*
~ ша́пку
~ костю́м
~ ту́фли на высо́ком (ни́зком) каблуке́
застёгивать / застегну́ть
~ пальто́
~ пиджа́к
~ реме́нь
расстёгивать / расстегну́ть
~ пальто́
~ пиджа́к
~ реме́нь
завя́зывать / завяза́ть
~ га́лстук
~ по́яс
~ шнурки́
развя́зывать / развяза́ть
~ га́лстук
~ по́яс
~ шнурки́
повя́зывать / повяза́ть
~ го́лову [косы́нкой, платко́м]
~ ше́ю [шарфо́м]
~ косы́нку
~ плато́к
~ шарф
ходи́ть *нсв*
~ в сапога́х
~ в лёгком костю́ме
~ в ле́тнем пла́тье
~ в зи́мнем (демисезо́нном) пальто́
~ без головно́го убо́ра
~ без ша́рфа
~ без зонта́
~ без пальто́
~ в босоно́жках

12. ПИТА́НИЕ. ПИ́ЩА. КУ́ШАНЬЯ

СЕРВИРО́ВКА СТОЛА́

1 стол
2 стул
3 ска́терть
4 салфе́тка
5 су́пница
6 глубо́кая таре́лка
7 больша́я ме́лкая таре́лка
8 ма́ленькая ме́лкая таре́лка
9 нож
10 ви́лка
11 столо́вая ло́жка
12 хле́бница
13 сала́тница
14 соло́нка
15 пе́речница
16 бока́л
17 кувши́н
18 буты́лка
19 ча́шка
20 блю́дце
21 ча́йная ло́жка
22 ча́йник / заварно́й ча́йник
23 моло́чник
24 са́харница
25 маслёнка
26 пирожко́вая таре́лка
27 кофе́йная ча́шечка
28 стака́н
29 подстака́нник
30 ва́за
31 ва́зочка для варе́нья
32 розе́тка для варе́нья

Дополнительный список

серви́з
- столо́вый серви́з
- ча́йный серви́з
- кофе́йный серви́з

прибо́р
- столо́вый прибо́р

сервиро́вка
- сервиро́вка стола́
- сервиро́вка обе́да

сервирова́ть
- ~ стол
- ~ обе́д

расставля́ть / расста́вить
- ~ посу́ду
- ~ ку́шанья [на столе́]

класть / положи́ть
- ~ сала́т [на таре́лку]
- ~ варе́нье [в розе́тку]

налива́ть / нали́ть
- ~ суп [в су́пницу]

разлива́ть / разли́ть
- ~ суп [по таре́лкам]

ПРИГОТОВЛЕ́НИЕ ПИ́ЩИ

1 ре́зать / наре́зать
~ хлеб
~ сыр
2 чи́стить / почи́стить
~ ры́бу
~ карто́шку
3 тере́ть / натере́ть
~ морко́вь
4 де́лать / сде́лать
~ сала́т
5 жа́рить / изжа́рить, зажа́рить
~ мя́со
~ ры́бу
~ карто́шку *разг.* **/ карто́фель**
6 печь / испе́чь
~ пиро́г
~ торт
~ блины́
7 вари́ть / свари́ть
~ суп
~ карто́шку *разг.* **/ карто́фель**
~ ка́шу
~ ко́фе

Дополнительный список

гото́вить / пригото́вить
~ за́втрак
~ обе́д
~ у́жин
кипе́ть / закипе́ть *(о жидкости)*
соли́ть / посоли́ть
~ суп
~ мя́со
туши́ть / потуши́ть
~ мя́со
~ о́вощи
зава́ривать / завари́ть
~ чай

В СТОЛО́ВОЙ (В КАФЕ́, В БУФЕ́ТЕ)

1 стол
2 стул
3 прибо́р (нож, ви́лка, ло́жка)
4 соло́нка
5 салфе́тка
6 подно́с
7 сто́йка
8 ка́сса
9 касси́р
10 чек
11 по́вар
12 буфе́тчица

Дополнительный список

столо́вая *сущ.*
  диети́ческая столо́вая
  столо́вая самообслу́живания
  обе́дать / пообе́дать в столо́вой
кафе́ *нескл. ср.*
  кафе́-моро́женое
  за́втракать в кафе́
бли́нная *сущ.*
пельме́нная *сущ.*
пирожко́вая *сущ.*
шашлы́чная *сущ.*
буфе́т
  заходи́ть / зайти́ в буфе́т
  перекуси́ть *св* в буфе́те
рестора́н
заку́сочная *сущ.*
официа́нт
официа́нтка

меню́
  брать / взять меню́
  смотре́ть / посмотре́ть меню́
счёт
  проси́ть *св* счёт
  опла́чивать / оплати́ть счёт
ходи́ть
  ~ в столо́вую
брать / взять
  ~ прибо́р
сади́ться / сесть
  ~ за сто́лик
сиде́ть *нсв*
  ~ за сто́ликом
зака́зывать / заказа́ть
  ~ обе́д [из трёх блюд]
подава́ть / пода́ть
  пе́рвое *сущ.* / пе́рвое блю́до
  второ́е *сущ.* / второ́е блю́до
распла́чиваться / расплати́ться
  ~ за обе́д

МЕНЮ́

ЗАКУ́СКИ

1 сала́т [из огурцо́в, помидо́ров]
2 сельдь
3 колбаса́
4 ветчина́
5 сыр
6 кра́сная икра́
7 чёрная икра́
8 сли́вочное ма́сло
9 бутербро́д
10 солёные грибы́ *обычно мн.*
11 марино́ванные грибы́ *обычно мн.*
12 петру́шка
13 зелёный лук
14 сала́т

ПЕ́РВЫЕ БЛЮ́ДА

15 суп
16 бульо́н
17 борщ

ВТОРЫ́Е БЛЮ́ДА

18 мя́со [жа́реное]
19 котле́ты, *ед.* котле́та
20 шашлы́к
21 соси́ски, *ед.* соси́ска
22 пельме́ни *обычно мн.*
23 голубцы́ *обычно мн.*
24 карто́фельная запека́нка
25 ку́рица [жа́реная]
26 осетри́на
27 суда́к [отварно́й]

28 яи́чница
29 яйцо́ [отварно́е]

ГАРНИ́Р

30 зелёный горо́шек
31 отварно́й карто́фель
32 жа́реный карто́фель
33 смета́на

МУЧНЫ́Е БЛЮ́ДА

34 макаро́ны *только мн.*
35 блины́, *ед.* блин
36 пиро́г
37 пирожо́к

ТРЕ́ТЬИ БЛЮ́ДА

38 я́блоко
39 апельси́н
40 лимо́н
41 виногра́д
42 пиро́жное
43 моро́женое

НАПИ́ТКИ

44 минера́льная вода́
45 фрукто́вая вода́
46 квас
47 сок
48 чай
49 ко́фе
50 кефи́р
51 молоко́

Общий дополнительный список к теме „Пита́ние. Пи́ща. Ку́шанья"

- пита́ние *только ед.*
  - обще́ственное пита́ние
  - диети́ческое пита́ние
- еда́ *только ед.*
  - вку́сная еда́
  - аппети́тная еда́
- пи́ща *только ед.*
  - мясна́я пи́ща
  - расти́тельная пи́ща
  - моло́чная пи́ща
- блю́до
  - пе́рвое (второ́е, тре́тье) блю́до
  - мясно́е (овощно́е, моло́чное) блю́до
  - национа́льное блю́до
- ку́шанье
  - вку́сное ку́шанье
- по́рция
  - по́рция соси́сок
  - съеда́ть / съесть по́рцию моро́женого
- заку́ска
  - лёгкая заку́ска
- припра́вы:
  - соль
  - пе́рец
  - горчи́ца
  - хрен
  - у́ксус
  - со́ус
- зе́лень
  - употребля́ть *нсв* зе́лень
- о́вощи
  - пита́ться *нсв* овоща́ми
- фру́кты
  - пита́ться *нсв* фру́ктами
- напи́ток
  - прохлади́тельные напи́тки
- аппети́т
  - есть / съесть с аппети́том
  - нет аппети́та
- за́втрак
  - лёгкий за́втрак
- обе́д
  - сы́тный обе́д
- у́жин
  - лёгкий у́жин
  - по́здний у́жин
- дие́та
  - щадя́щая дие́та
  - стро́гая дие́та
  - соблюда́ть / соблюсти́ дие́ту
  - наруша́ть / нару́шить дие́ту

сы́тый, -ая, -ое, -ые; сыт, сыта́, сы́то, сы́ты
голо́дный, -ая, -ое, -ые; го́лоден, голодна́, го́лодно, го́лодны

- есть / пое́сть
  - ~ во́время
  - ~ хорошо́
  - ~ пло́тно
- за́втракать / поза́втракать
  - ~ во́время
- обе́дать / пообе́дать
  - ~ в два часа́
  - ~ в рестора́не
  - ~ в столо́вой
  - ~ на рабо́те
  - ~ до́ма
- у́жинать / поу́жинать
  - ~ в кафе́
  - ~ до́ма
- накрыва́ть / накры́ть
  - ~ на стол

Общество

1. СОЮ́З СОВЕ́ТСКИХ СОЦИАЛИСТИ́ЧЕСКИХ РЕСПУ́БЛИК (СССР, СОВЕ́ТСКИЙ СОЮ́З)

СССР НА КА́РТЕ МИ́РА

1 **Росси́йская Сове́тская Федерати́вная Социалисти́ческая Респу́блика (РСФСР)**
2 **Украи́нская Сове́тская Социалисти́ческая Респу́блика (УССР), Украи́на**
3 **Белору́сская Сове́тская Социалисти́ческая Респу́блика (БССР), Белору́ссия**
4 **Узбе́кская Сове́тская Социалисти́ческая Респу́блика, Узбекиста́н**
5 **Каза́хская Сове́тская Социалисти́ческая Респу́блика, Каза́хстан**
6 **Грузи́нская Сове́тская Социалисти́ческая Респу́блика, Гру́зия**
7 **Азербайджа́нская Сове́тская Социалисти́ческая Респу́блика, Азербайджа́н**
8 **Лито́вская Сове́тская Социалисти́ческая Респу́блика, Литва́**
9 **Молда́вская Сове́тская Социалисти́ческая Респу́блика, Молда́вия**
10 **Латви́йская Сове́тская Социалисти́ческая Респу́блика, Ла́твия**
11 **Кирги́зская Сове́тская Социалисти́ческая Респу́блика, Кирги́зия**
12 **Таджи́кская Сове́тская Социалисти́ческая Респу́блика, Таджикиста́н**
13 **Армя́нская Сове́тская Социалисти́ческая Респу́блика, Арме́ния**
14 **Туркме́нская Сове́тская Социалисти́ческая Респу́блика, Туркме́ния**
15 **Эсто́нская Сове́тская Социалисти́ческая Респу́блика, Эсто́ния**

Дополнительный список

о́бщество
социалисти́ческое о́бщество
сове́тское о́бщество
госуда́рство
социалисти́ческое госуда́рство
сове́тское госуда́рство
многонациона́льное госуда́рство
госуда́рственный строй
госуда́рственная власть
о́рганы госуда́рственной вла́сти
Сове́ты наро́дных депута́тов
Съезд наро́дных депута́тов
Верхо́вный Сове́т СССР
се́ссия Верхо́вного Сове́та СССР
вы́боры в Верхо́вный Сове́т СССР
пала́ты Верхо́вного Сове́та СССР
Сове́т Сою́за
Сове́т Национа́льностей
Прези́диум Верхо́вного Сове́та СССР
Председа́тель Прези́диума Верхо́вного Сове́та СССР
депута́т
наро́дный депута́т
выдвиже́ние кандида́тов в депута́ты
вы́боры депута́тов

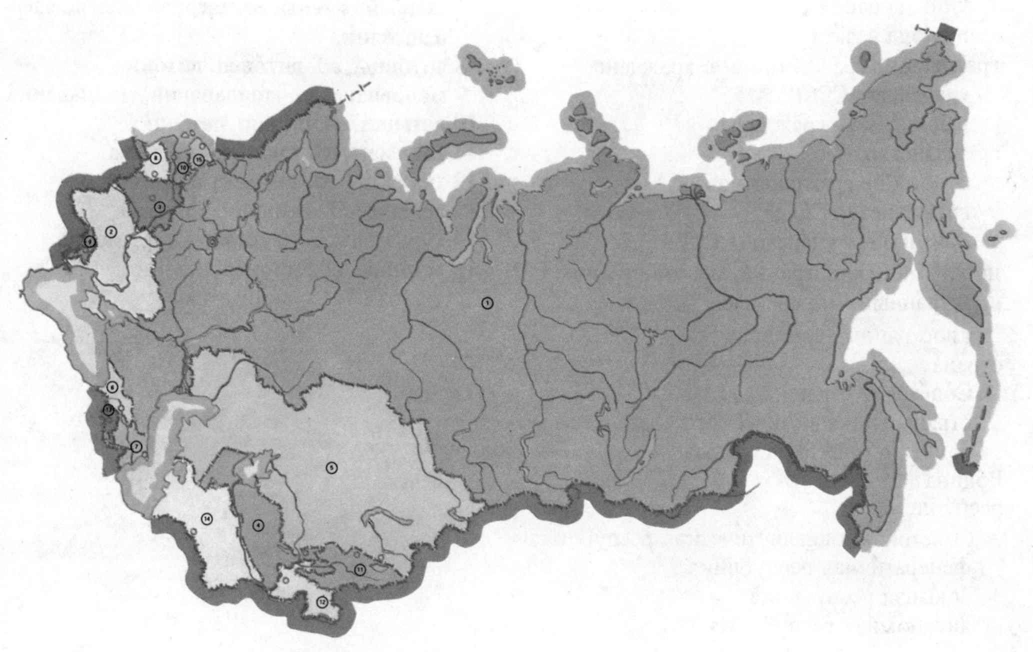

Прави́тельство СССР
Сове́т Мини́стров СССР
Председа́тель Сове́та Мини́стров СССР
министе́рство
  Министе́рство иностра́нных дел СССР
  Министе́рство здравоохране́ния СССР
мини́стр
  мини́стр иностра́нных дел
  мини́стр здравоохране́ния
полити́ческая организа́ция
па́ртия
  Коммунисти́ческая па́ртия Сове́тского Сою́за (КПСС)
Всесою́зный Ле́нинский Коммунисти́ческий Сою́з Молодёжи (ВЛКСМ)
обще́ственная организа́ция
профессиона́льные сою́зы
конститу́ция
  Конститу́ция СССР
пра́во
  пра́во на труд
  пра́во на о́тдых
  пра́во на охра́ну здоро́вья
  пра́во на жили́ще
  пра́во на образова́ние
  ли́чные права́
  ра́вные права́
  права́ гра́ждан
  уваже́ние прав челове́ка
обя́занность, *мн.* обя́занности
  обя́занности гра́ждан СССР
  исполня́ть *нсв* свои́ обя́занности
свобо́да
  полити́ческие свобо́ды
  свобо́да сло́ва
  свобо́да печа́ти
граждани́н, гражда́нка, *мн.* гра́ждане
  граждани́н СССР
  равнопра́вие гра́ждан
гражда́нство
  сове́тское гражда́нство
  гражда́нство СССР
  Зако́н о гражда́нстве СССР
иностра́нец, иностра́нка, *мн.* иностра́нцы
иностра́нный, -ая, -ое, -ые
  иностра́нные гра́ждане
страна́
  Сове́тская страна́
  стра́ны социалисти́ческого содру́жества
  социалисти́ческие стра́ны
Ро́дина
респу́блика
  Сове́тская социалисти́ческая респу́блика
  федерати́вная респу́блика
  сою́зная респу́блика
  автоно́мная респу́блика
о́бласть
  автоно́мная о́бласть
о́круг
  автоно́мный о́круг
край
райо́н
го́род
посёлок
село́
дере́вня
террито́рия
  террито́рия СССР
населе́ние
наро́д
  сове́тский наро́д
  наро́ды СССР
наро́дность
на́ция
национа́льность
национа́льный, -а́я, -ое, -ые
  национа́льная культу́ра
  национа́льная шко́ла
  национа́льный костю́м

НАРО́ДЫ СССР

1 **ру́сские**, *ед.* **ру́сский, ру́сская**
2 **украи́нцы**, *ед.* **украи́нец, украи́нка**
3 **белору́сы**, *ед.* **белору́с, белору́ска**
4 **узбе́ки**, *ед.* **узбе́к, узбе́чка**
5 **каза́хи**, *ед.* **каза́х, каза́шка**
6 **грузи́ны**, *ед.* **грузи́н, грузи́нка**
7 **азербайджа́нцы**, *ед.* **азербайджа́нец, азербайджа́нка**
8 **лито́вцы**, *ед.* **лито́вец, лито́вка**
9 **молдава́не**, *ед.* **молдава́нин, молдава́нка**
10 **латыши́**, *ед.* **латы́ш, латы́шка**
11 **кирги́зы**, *ед.* **кирги́з, кирги́зка**
12 **таджи́ки**, *ед.* **таджи́к, таджи́чка**
13 **армя́не**, *ед.* **армяни́н, армя́нка**
14 **туркме́ны**, *ед.* **туркме́н, туркме́нка**
15 **эсто́нцы**, *ед.* **эсто́нец, эсто́нка**

1
2
3
4
5
6
7
8
9
10
11
12
13
14
15

ГЕРБ, ФЛАГ

1 Госуда́рственный герб СССР и гербы́ сою́зных сове́тских социалисти́ческих респу́блик
2 серп и мо́лот
3 пятиконе́чная звезда́
4 Госуда́рственный флаг СССР

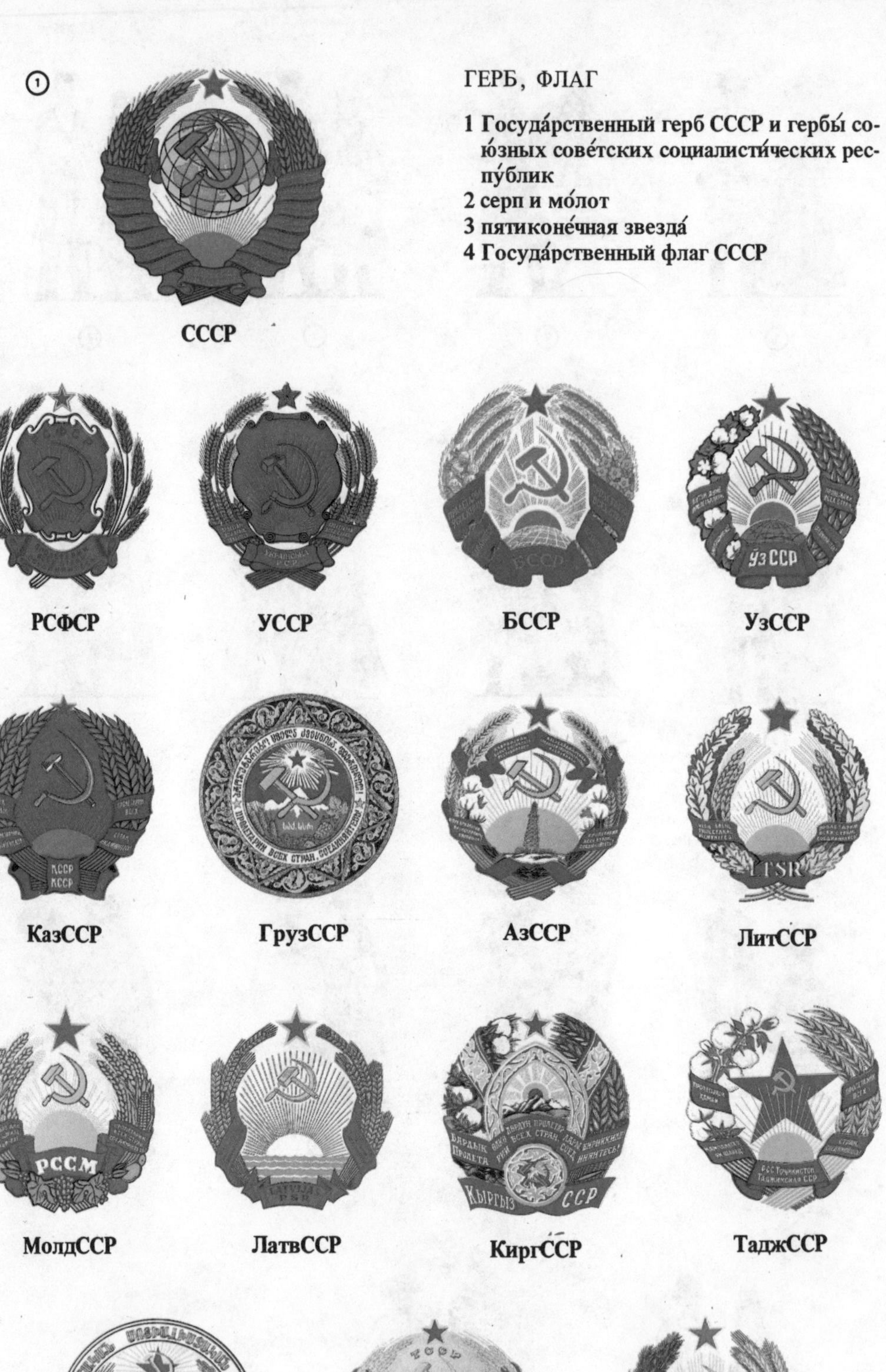

① СССР

РСФСР УССР БССР УзССР

КазССР ГрузССР АзССР ЛитССР

МолдССР ЛатвССР КиргССР ТаджССР

АрмССР ТССР ЭССР

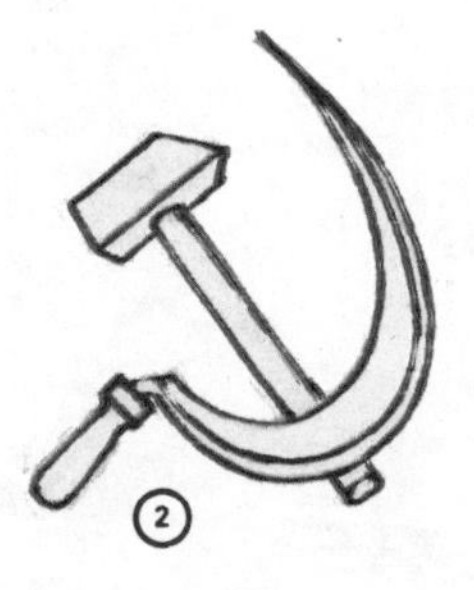

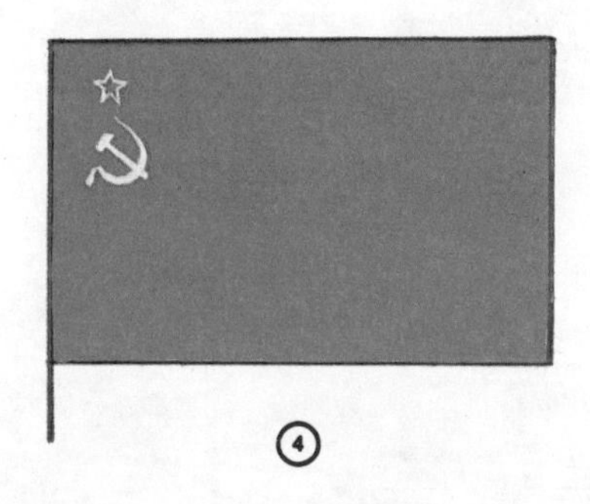

НА ВЫ́БОРАХ

1 избира́тель
2 бюллете́нь для та́йного голосова́ния
3 у́рна для та́йного голосова́ния
4 каби́на для та́йного голосова́ния

Дополнительный список

вы́боры
  всео́бщие вы́боры
  ра́вные вы́боры
  прямы́е вы́боры
  вы́боры депута́тов в Верхо́вный Сове́т СССР
  проведе́ние вы́боров
  уча́ствовать в вы́борах

избира́тельный, -ая, -ое, -ые
  избира́тельная систе́ма
  избира́тельное пра́во
  избира́тельный о́круг
  избира́тельный уча́сток
  избира́тельная коми́ссия

агитпу́нкт

нака́зы, *ед.* нака́з
  дава́ть / дать нака́зы депута́там

проводи́ть / провести́
  ~ вы́боры наро́дных депута́тов

выдвига́ть / вы́двинуть
  ~ кандида́та в депута́ты

голосова́ть / проголосова́ть
  ~ за кандида́та в депута́ты

избира́ть / избра́ть
  ~ кандида́та в депута́ты

① ② ③

МОСКВА́ – СТОЛИ́ЦА СССР

1 Кра́сная пло́щадь
2 Мавзоле́й В. И. Ле́нина
3 Кремль
4 Спа́сская ба́шня Кремля́
5 Кремлёвские кура́нты
6 Кремлёвский Дворе́ц съе́здов
7 у́лица Го́рького
8 проспе́кт Кали́нина

④ ⑤

⑥

7

8

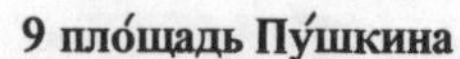

9 пло́щадь Пу́шкина
10 Большо́й теа́тр
11 Вы́ставка достиже́ний наро́дного хозя́йства СССР (ВДНХ)
12 Госуда́рственная библиоте́ка СССР им. В. И. Ле́нина
13 Моско́вский госуда́рственный университе́т им. М. В. Ломоно́сова
14 Центра́льный стадио́н им. В. И. Ле́нина
15 Центра́льный парк культу́ры и о́тдыха им. М. Го́рького
16 Оста́нкинская телевизио́нная ба́шня
17 спортко́мплекс „Олимпи́йский"

Дополнительный список

истори́ческие па́мятники
соверша́ть / соверши́ть
 ~ экску́рсию по Москве́
осма́тривать / осмотре́ть
 ~ достопримеча́тельности го́рода
быть / побыва́ть
 ~ в Кремле́
 ~ на Кра́сной пло́щади
 ~ в карти́нной галере́е
посеща́ть / посети́ть
 ~ па́мятные места́
 ~ карти́нную галере́ю
 ~ музе́й

2. ВЕЛИ́КАЯ ОКТЯ́БРЬСКАЯ СОЦИАЛИСТИ́ЧЕСКАЯ РЕВОЛЮ́ЦИЯ

1 В. И. Ле́нин на броневике́
2 Смо́льный – штаб револю́ции
3 Штурм зи́мнего дворца́
4 Кре́йсер „Авро́ра"

Дополнительный список

револю́ция
  Октя́брьская револю́ция
  В. И. Ле́нин – вождь револю́ции
  соверша́ть / соверши́ть револю́цию
революцио́нный, -ая, -ое, -ые
  революцио́нное движе́ние
  революцио́нные собы́тия
революционе́р *мн.* революционе́ры
революционе́рка

①

②

③

большеви́к *мн.* большеви́ки
  ста́рый большеви́к
  па́ртия большевико́в
ми́тинг
  выступа́ть / вы́ступить на ми́тинге

восста́ние
  вооружённое восста́ние
сове́тская власть
Сове́ты
  Вся власть Сове́там!

④

3. СОВЕ́ТСКАЯ А́РМИЯ – ЗАЩИ́ТНИЦА СОЦИАЛИСТИ́ЧЕСКОЙ РО́ДИНЫ

НА УЧЕ́НИЯХ

1 кома́ндный пункт
2 офице́р
3 пого́ны, *ед.* пого́н
4 фура́жка
5 бино́кль
6 око́п
7 солда́т
8 ка́ска
9 пило́тка
10 автома́т
11 раке́та
12 раке́тчик
13 танк
14 танки́ст
15 ору́дие / зени́тное ору́дие
16 зени́тчик

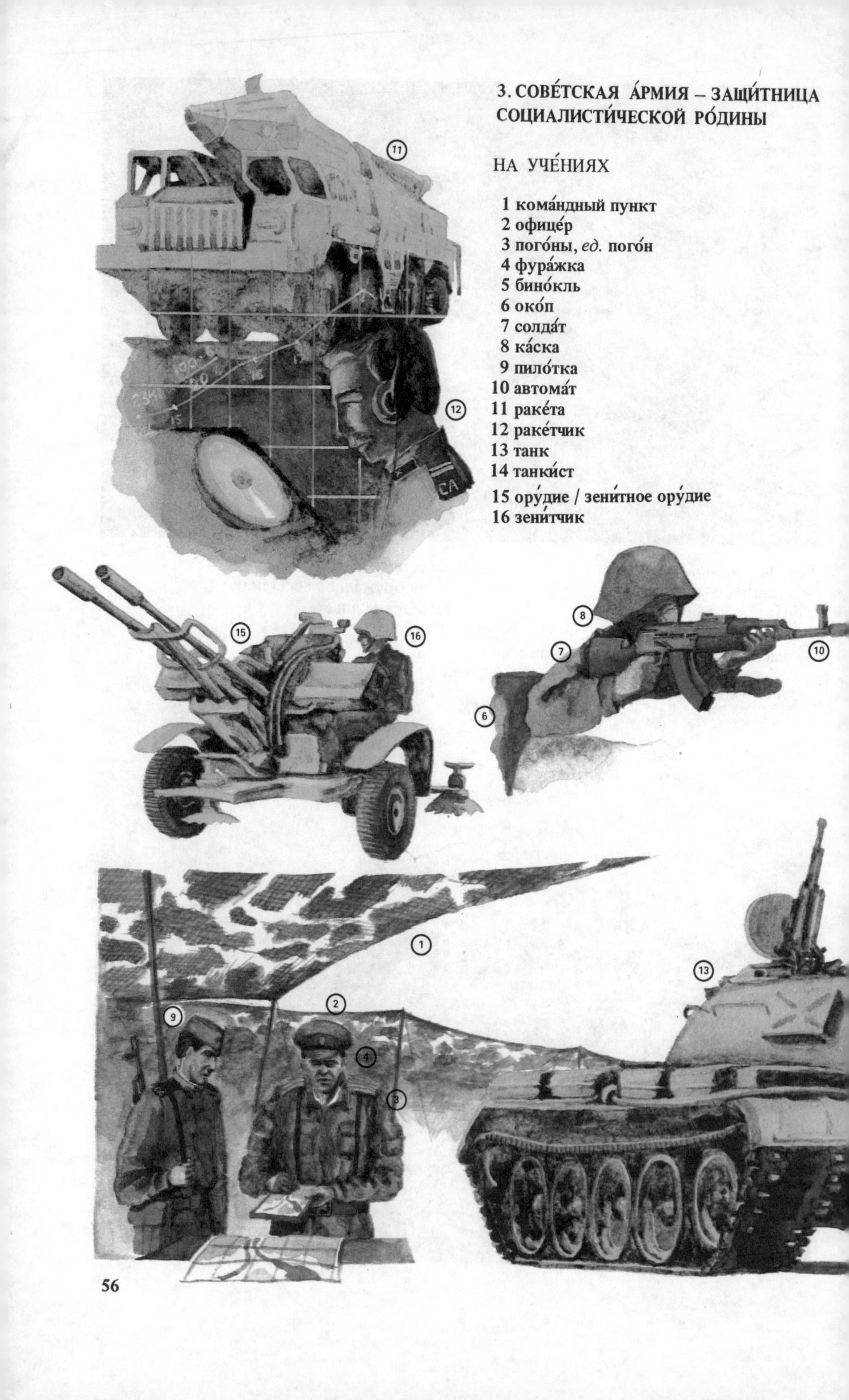

Дополнительный список

а́рмия
  Сове́тская А́рмия
войска́, *ед.* во́йско
  сове́тские войска́
  сухопу́тные войска́
  раке́тные войска́
  та́нковые войска́
  пограни́чные войска́
Вое́нно-Возду́шные Си́лы СССР
Вое́нно-Морско́й Флот СССР
вое́нный *сущ.*
команди́р
  команди́р отря́да
  команди́р полка́
  прика́з команди́ра
вое́нная фо́рма
кома́ндовать *нсв*
  ~ отря́дом
  ~ а́рмией

часово́й *сущ.*
безопа́сность
  безопа́сность страны́
  обеспе́чивать / обеспе́чить безопа́сность
обороноспосо́бность
  обороноспосо́бность страны́
  укрепля́ть / укрепи́ть обороноспосо́бность страны́
защи́та
  защи́та Ро́дины (социалисти́ческого Оте́чества)
защища́ть / защити́ть
  ~ свою́ Ро́дину (своё социалисти́ческое Оте́чество)

НА ГРАНИ́ЦЕ

17 пограни́чная полоса́
18 пограни́чный столб
19 пограни́чник

Дополнительный список

грани́ца
  госуда́рственная грани́ца
  служи́ть *нсв* на грани́це
  охраня́ть *нсв* грани́цу

4. БОРЬБА́ ЗА МИР

МАНИФЕСТА́ЦИЯ В ЗАЩИ́ТУ МИ́РА

1 ло́зунг
2 плака́т
3 транспара́нт

Дополнительный список

мир
    про́чный мир
    борьба́ за мир
    поли́тика ми́ра
    боро́ться за мир
ми́рное сосуществова́ние
разря́дка
    разря́дка междунаро́дной напряжённости
дру́жба
    кре́пкая дру́жба
    дру́жба наро́дов

5. ПРА́ЗДНИЧНЫЕ И ПА́МЯТНЫЕ ДНИ

ДЕМОНСТРА́ЦИЯ НА КРА́СНОЙ ПЛО́ЩАДИ В МОСКВЕ́

1 Мавзоле́й В. И. Ле́нина
2 трибу́на
3 коло́нна демонстра́нтов
4 зна́мя
5 флаг

НОВОГО́ДНИЙ ПРА́ЗДНИК

НОВОГО́ДНЯЯ ЁЛКА

1 ёлка
2 ёлочные игру́шки
3 гирля́нда
4 конфетти́, *нескл. ср.*
5 серпанти́н
6 ла́мпочки
7 карнава́льный костю́м
8 ма́ска
9 Дед Моро́з
10 Снегу́рочка
11 пода́рок

Общий дополнительный список к теме „Пра́здничные и па́мятные дни"

Но́вый год (1 января́)
    встреча́ть / встре́тить Но́вый год
карнава́л
по́лночь *только ед.*
бой кура́нтов
новогóдний, -яя, -ее, -ие
    нового́дняя ночь
    нового́дние пожела́ния
пра́здник
    нового́дний пра́здник
    всенаро́дный пра́здник
    накану́не пра́здника
    гото́виться / подгото́виться к пра́зднику
годовщи́на
    годовщи́на Вели́кой Октя́брьской социалисти́ческой револю́ции (7 ноября́)
юбиле́й
день
    пра́здничный день
    Междунаро́дный же́нский день (8 ма́рта)
    День Конститу́ции СССР (7 октября́)
    День междунаро́дной солида́рности трудя́щихся (1 ма́я)
    День Побе́ды сове́тского наро́да в Вели́кой Оте́чественной войне́ (9 ма́я)
    День зна́ний (1 сентября́)
    Всеми́рный день молодёжи (10 ноября́)
    Междунаро́дный день студе́нтов (17 ноября́)
    День образова́ния Сою́за Сове́тских Социалисти́ческих Респу́блик (30 декабря́)
    День Сове́тской А́рмии и Вое́нно-Морско́го Фло́та (23 февраля́)
    День космона́втики, Всеми́рный день

авиа́ции и космона́втики (12 апре́ля)
День рожде́ния Влади́мира Ильича́ Ле́нина (22 апре́ля)
День печа́ти (5 ма́я)
День ра́дио, пра́здник рабо́тников всех о́траслей свя́зи (7 ма́я)
День рожде́ния Всесою́зной пионе́рской организа́ции им. В. И. Ле́нина (19 ма́я)
Междунаро́дный день защи́ты дете́й (1 ию́ня)

поздрави́тельный, -ая, -ое, -ые
поздрави́тельная откры́тка
поздрави́тельная телегра́мма

юбиле́йный, -ая, -ое, -ые
юбиле́йный год
юбиле́йная да́та

отмеча́ть / отме́тить
~ пра́здник
~ годовщи́ну
~ юбиле́й

поздравля́ть / поздра́вить
~ с пра́здником
~ с Но́вым го́дом

жела́ть / пожела́ть
~ здоро́вья
~ сча́стья
~ успе́хов

6. ГО́РОД

НА У́ЛИЦЕ ГО́РОДА

1 у́лица
2 прое́зжая часть у́лицы
3 тротуа́р
4 у́личный фона́рь
5 фона́рный столб
6 пешехо́ды, *ед.* **пешехо́д**
7 перехо́д
8 светофо́р
9 регулиро́вщик
10 кио́ск
11 автома́т для прода́жи газиро́ванной воды́
12 телефо́н-автома́т / таксофо́н
13 пло́щадь
14 па́мятник
15 администрати́вное зда́ние
16 жило́й дом
17 но́мер до́ма
18 мемориа́льная доска́
19 зда́ние теа́тра
20 сберега́тельная ка́сса
21 по́чта
22 почто́вый я́щик
23 сквер

Дополнительный список

проспе́кт
бульва́р
переу́лок
прое́зд
перекрёсток
свет
    кра́сный свет
    зелёный свет
    жёлтый свет
райо́н
    райо́н го́рода
микрорайо́н
    но́вый микрорайо́н
кварта́л
    жило́й кварта́л
центр
    пое́хать в центр
    жить в це́нтре
окра́ина
    окра́ина го́рода
при́город
окре́стности
    окре́стности го́рода
    живопи́сные окре́стности
на́бережная
    на́бережная Москвы́-реки́
    на́бережная Невы́
достопримеча́тельности
    осма́тривать / осмотре́ть достопримеча́тельности го́рода
монуме́нт
обели́ск
населе́ние
    городско́е населе́ние
    се́льское пассле́ние
городско́й, -а́я, -о́е, -и́е
    городско́й жи́тель
    городски́е предприя́тия
    городски́е учрежде́ния
тра́нспорт (*см. также тему* ГОРОДСКО́Й ТРА́НСПОРТ)
жить
    ~ в но́вом райо́не
    ~ в це́нтре го́рода
    ~ на проспе́кте Ми́ра
    ~ на Не́вском проспе́кте
    ~ на у́лице Го́рького
    ~ на Пу́шкинской у́лице
    ~ на окра́ине го́рода
    ~ в при́городе

РЕГАТЕЛЬНАЯ КАССА
ПОЧТА
ПОЧТА
МОРОЖЕНОЕ
1
2
3
4
5
6
7
8
9
13
14
15
16
17
18
19
20
21
22
23

В ПА́РКЕ КУЛЬТУ́РЫ И О́ТДЫХА

1 алле́я
2 фонта́н
3 клу́мба
4 газо́н
5 бесе́дка
6 скаме́йка
7 скульпту́ра
8 аттракцио́н
9 карусе́ль
10 колесо́ обозре́ния
11 тир
12 пруд
13 ло́дка
14 эстра́да
15 кафе́ нескл. ср.

Дополнительный список

сад
отдыха́ть / отдохну́ть
~ в па́рке
~ в саду́
~ в скве́ре
сиде́ть *нсв*
~ на скаме́йке
~ в бесе́дке
гуля́ть *нсв*
~ по алле́е
~ в саду́
встреча́ть / встре́тить
~ знако́мых
встреча́ться / встре́титься
~ у фонта́на

7. ГОСТИ́НИЦА

В ГОСТИ́НИЦЕ

1 швейца́р
2 вестибю́ль
3 дежу́рный администра́тор
4 ключ от но́мера
5 бюро́ обслу́живания
6 но́мер в гости́нице
7 дежу́рная по этажу́
8 го́рничная
9 рестора́н
10 бар

Дополнительный список

брони́ровать / заброни́ровать
  ~ но́мер [в гости́нице]
остана́вливаться / останови́ться
  ~ в гости́нице
  ~ в одноме́стном (двухме́стном) но́мере

8. ПО́ЧТА. ТЕЛЕГРА́Ф. ТЕЛЕФО́Н

НА ПО́ЧТЕ И ТЕЛЕГРА́ФЕ

1 письмо́
2 конве́рт
3 ма́рка
4 откры́тка
5 а́дрес
6 и́ндекс
7 ште́мпель
8 почто́вый я́щик
9 бандеро́ль
10 посы́лка
11 телегра́фный бланк
12 телегра́мма

Дополнительный список

(глав) почта́мт
корреспонде́нция
    вы́дача корреспонде́нции
до востре́бования
    письмо́ до востре́бования
перево́д
    де́нежный перево́д
почто́вый, -ая, -ое, -ые
    почто́вая ма́рка
    почто́вый перево́д
заказно́й, -а́я, -о́е, -ы́е
    заказна́я бандеро́ль
    заказно́е письмо́
це́нный, -ая, -ое, -ые
    це́нная бандеро́ль
    це́нная посы́лка
    це́нное письмо́
поздрави́тельный, -ая, -ое, -ые
    поздрави́тельная откры́тка
    поздрави́тельная телегра́мма
писа́ть / написа́ть
    ~ письмо́
    ~ а́дрес (обра́тный а́дрес)
заkле́ивать / заkле́ить
    ~ конве́рт
накле́ивать / накле́ить
    ~ ма́рку
заполня́ть / запо́лнить
    ~ телегра́фный бланк
посыла́ть / посла́ть
отправля́ть / отпра́вить
    ~ заказно́е письмо́
    ~ откры́тку
    ~ телегра́мму
    ~ перево́д
    ~ бандеро́ль
    ~ посы́лку
получа́ть / получи́ть
    ~ откры́тку
    ~ телегра́мму
    ~ заказно́е письмо́
    ~ откры́тку
    ~ телегра́мму
    ~ перево́д
    ~ бандеро́ль
    ~ посы́лку

телеграфи́ровать
  ~ о прие́зде
принима́ть / приня́ть
  ~ телегра́мму
  ~ посы́лку
доставля́ть / доста́вить
  ~ газе́ты
выдава́ть / вы́дать
  ~ бандеро́ль
  ~ посы́лку

  ~ по телефо́ну
  ~ на рабо́ту
  ~ домо́й
дозва́ниваться / дозвони́ться
слы́шать *нсв*
  ~ хорошо́
  ~ пло́хо
говори́ть *нсв*
  ~ по телефо́ну
разгова́ривать *нсв*
  ~ по телефо́ну

У ТЕЛЕФО́НА

1 телефо́н
2 телефо́нная тру́бка
3 диск телефо́на
4 шнур
5 про́вод
6 телефо́нная кни́жка
7 телефо́нный спра́вочник

У ТЕЛЕФО́НА-АВТОМА́ТА

8 телефо́нная бу́дка
9 телефо́н-автома́т / таксофо́н
10 телефо́нная тру́бка
11 двухкопе́ечная моне́та

Дополнительный список

телефо́н
  дома́шний телефо́н
  служе́бный телефо́н
  междугоро́дный телефо́н
  телефо́н за́нят (не отвеча́ет, звони́т)
  проси́ть / попроси́ть к телефо́ну
  дать но́мер телефо́на
  отключа́ть / отключи́ть телефо́н
телефо́нный звоно́к
тру́бка
  брать / взять тру́бку
  ве́шать / пове́сить тру́бку
  класть / положи́ть тру́бку
гудо́к, *мн.* гудки́
  дли́нные (коро́ткие) гудки́
но́мер
  но́мер телефо́на
  набира́ть / набра́ть но́мер
каби́на
  приглаша́ть / пригласи́ть в каби́ну
разгово́р
  зака́зывать / заказа́ть разгово́р
зака́з
  принима́ть / приня́ть зака́з
звони́ть / позвони́ть
  ~ в спра́вочное бюро́
  ~ из автома́та

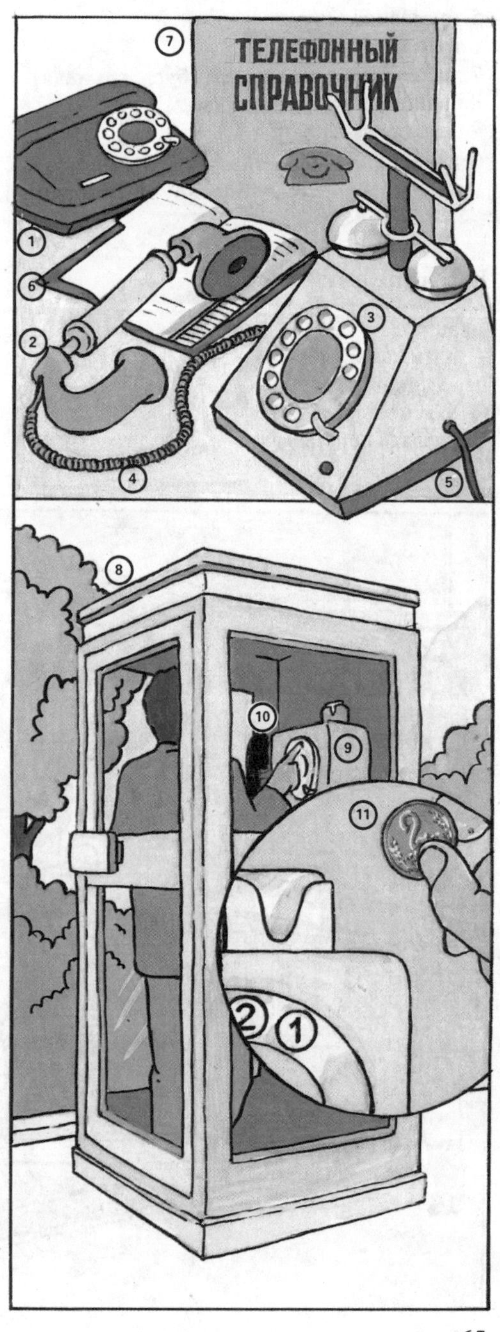

9. ТРА́НСПОРТ

ГОРОДСКО́Й ТРА́НСПОРТ

НА ОСТАНО́ВКЕ

1 авто́бус
2 тролле́йбус
3 остано́вка [авто́буса, тролле́йбуса]
4 трамва́й
5 трамва́йная ли́ния
6 трамва́йная остано́вка
7 две́ри [авто́буса, тролле́йбуса, трамва́я]
8 подно́жка
9 пере́дняя площа́дка
10 за́дняя площа́дка
11 но́мер [авто́буса, тролле́йбуса, трамва́я]

Дополнительный список

маршру́т
 идти́ по маршру́ту
переса́дка
 е́хать с переса́дкой
 сде́лать переса́дку

ждать
 ~ трамва́я
 авто́буса
 ~ тролле́йбуса
стоя́ть
 ~ на остано́вке
е́хать, е́здить
 ~ на авто́бусе
 ~ авто́бусом
 ~ на трамва́е
 ~ трамва́ем
 ~ на тролле́йбусе
 ~ тролле́йбусом
входи́ть / войти́
 ~ в авто́бус
 ~ в тролле́йбус
 ~ в трамва́й
сади́ться / сесть
 ~ на авто́бус
 ~ на трамва́й
 ~ на тролле́йбус
проходи́ть / пройти́
 ~ вперёд
 ~ к вы́ходу
выходи́ть / вы́йти
 ~ из авто́буса
 ~ из трамва́я
 ~ из тролле́йбуса

сходи́ть / сойти́
  ~ с авто́буса
  ~ с трамва́я
  ~ с тролле́йбуса
переса́живаться / пересе́сть
  ~ на авто́бус
  ~ на трамва́й
  ~ на тролле́йбус

компости́ровать / прокомпости́ровать
  ~ биле́т
передава́ть / переда́ть
  ~ де́ньги на биле́т
предъявля́ть / предъяви́ть
  ~ биле́т [контролёру]

В АВТО́БУСЕ

1 води́тель
2 пассажи́ры, *ед.* **пассажи́р**
3 биле́т
4 проездно́й биле́т
5 абонеме́нтная кни́жка
6 компо́стер
7 контролёр
8 тало́н

Дополнительный список

прохо́д
  стоя́ть в прохо́де
ме́сто
  места́ для дете́й и инвали́дов
  уступа́ть / уступи́ть ме́сто

в метро́

1 ста́нция метро́
2 вход в метро́
3 вестибю́ль
4 ка́сса [разме́нная ка́сса]
5 автома́т [разме́нный автома́т]
6 эскала́тор
7 перехо́д
8 платфо́рма
9 тонне́ль
10 по́езд
11 ваго́н
12 две́ри
13 схе́ма метрополите́на

Дополнительный список

ли́ния / ли́ния метро́
    кольцева́я ли́ния
    радиа́льная ли́ния
перехо́д
    де́лать / сде́лать перехо́д
    идти́ *нсв* по перехо́ду
переса́дка
    де́лать / сде́лать переса́дку
    е́хать *нсв* с переса́дкой
    (без переса́дки)
поса́дка
    поса́дка на по́езд

е́хать / е́здить
~ в метро́
разме́нивать / разменя́ть
~ де́ньги
~ 10 (де́сять), 15 (пятна́дцать), 20 (два́дцать) копе́ек
поднима́ться / подня́ться
~ на эскала́торе
спуска́ться / спусти́ться
~ на эскала́торе

НА СТОЯ́НКЕ ТАКСИ́

1 стоя́нка такси́
2 такси́
3 такси́ст / води́тель, шофёр
4 зелёный огонёк
5 счётчик
6 бага́жник
7 маршру́тное такси́
8 остано́вка маршру́тного такси́

Дополнительный список

свобо́дное такси́
такси́ за́нято (свобо́дно)
брать / взять
~ такси́
вызыва́ть / вы́звать
~ такси́
ждать *нсв*
~ такси́
е́хать / пое́хать
~ на такси́
остана́вливать / останови́ть
~ такси́
сади́ться / сесть
~ в такси́
открыва́ть / откры́ть
~ две́рцу
~ бага́жник
плати́ть / уплати́ть
~ по счётчику

ТРА́НСПОРТ ЛИ́ЧНОГО ПО́ЛЬЗОВАНИЯ

У ГАРАЖА́

1 маши́на *разг.* / автомоби́ль
- 2 каби́на
- 3 ветрово́е стекло́
- 4 стеклоочисти́тели / *разг.* щётки
- 5 две́рца
- 6 колесо́
- 7 радиа́тор
- 8 фа́ра
- 9 подфа́рник
- 10 ба́мпер
- 11 бага́жник
- 12 капо́т
- 13 дви́гатель
- 14 руль
- 15 рыча́г переключе́ния скоросте́й
- 16 ключ зажига́ния
- 17 глуши́тель
- 18 анте́нна
- 19 зе́ркало
- 20 но́мер маши́ны

21 мотоци́кл
- 22 мотоци́кл с коля́ской

23 моторо́ллер

24 мопе́д

25 велосипе́д
- 26 педа́ль

27 гара́ж

Дополнительный список

педа́ль
- педа́ль то́рмоза
- педа́ль сцепле́ния
- нажима́ть / нажа́ть на педа́ль

то́рмоз
- ручно́й то́рмоз

пере́дний, -яя, -ее, -ие
- пере́днее колесо́
- пере́днее сиде́нье

за́дний, -яя, -ее, -ие
- за́днее колесо́
- за́днее сиде́нье

включа́ть / включи́ть
- ~ дви́гатель
- ~ подфа́рники
- ~ щётки
- ~ фа́ры

выключа́ть / вы́ключить
- ~ дви́гатель
- ~ подфа́рники
- ~ щётки
- ~ фа́ры

води́ть
~ маши́ну
~ мотоци́кл
е́хать, е́здить
~ на велосипе́де
~ на маши́не
~ на моторо́ллере
~ на мотоци́кле

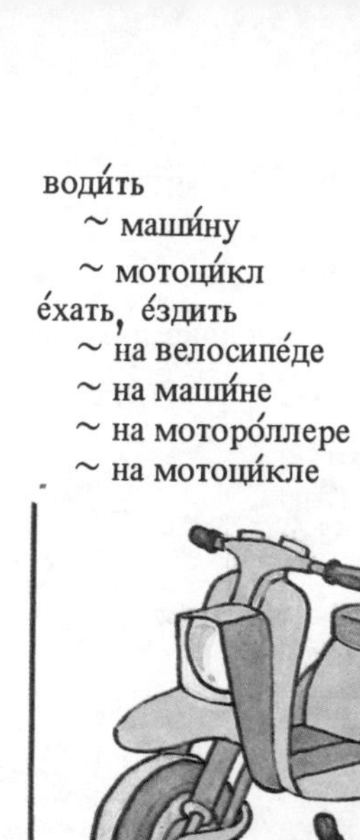

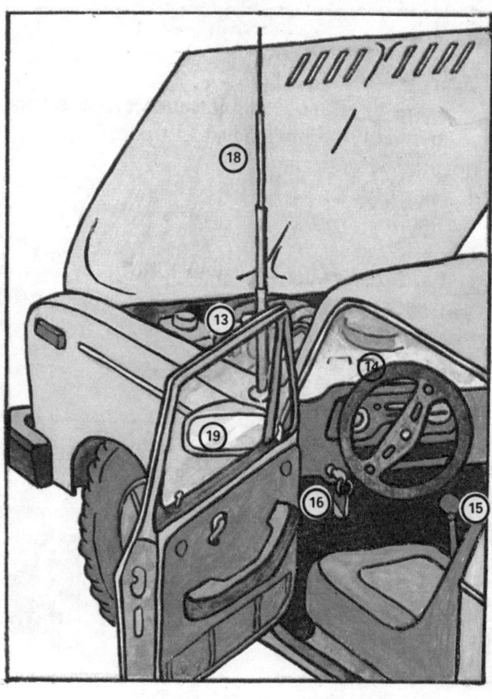

Общий дополнительный список к теме „Городско́й тра́нспорт"

автомоби́ль
  легково́й автомоби́ль
  грузово́й автомоби́ль / грузови́к
движе́ние
  доро́жное движе́ние
  односторо́ннее движе́ние
  двусторо́ннее движе́ние
  движе́ние тра́нспорта
  регули́ровать *нсв* движе́ние
прое́зжая часть [у́лицы]
доро́га
доро́жный знак
обго́н
  соверша́ть / соверши́ть обго́н
объе́зд
поворо́т
  пра́вый поворо́т
  ле́вый поворо́т
полоса́ движе́ния
  ле́вая полоса́
  пра́вая полоса́
права́
  предъявля́ть / предъяви́ть права́
пра́вила доро́жного движе́ния
  соблюда́ть *нсв* пра́вила доро́жного движе́ния
  наруша́ть / нару́шить пра́вила доро́жного движе́ния
ряд движе́ния
  ле́вый ряд
  пра́вый ряд
сигна́л
  дать сигна́л
ско́рость
  е́хать со ско́ростью 60 киломе́тров в час
  превыша́ть / превы́сить ско́рость
обгоня́ть / обогна́ть
  маши́ну
сигна́лить
штраф
  плати́ть / заплати́ть штраф
штрафова́ть / оштрафова́ть
объезжа́ть / объе́хать
  ~ препя́тствие
переходи́ть / перейти́
  ~ у́лицу
повора́чивать / поверну́ть нале́во (напра́во)
тормози́ть / затормози́ть

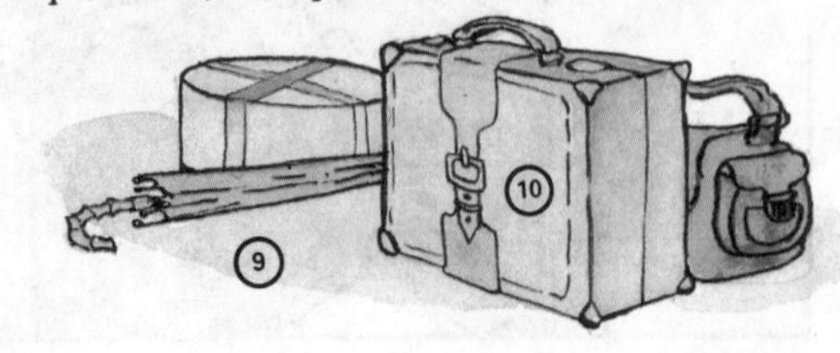

ЖЕЛЕЗНОДОРО́ЖНОЕ СООБЩЕ́НИЕ

НА ВОКЗА́ЛЕ

1 вокза́л / железнодоро́жный вокза́л
2 спра́вочная *сущ.*
3 расписа́ние поездо́в
4 ка́сса / биле́тная ка́сса
5 зал ожида́ния
6 ко́мната ма́тери и ребёнка
7 ка́мера хране́ния
8 автомати́ческая ка́мера хране́ния
9 ве́щи *только мн.* **/ бага́ж**
10 чемода́н
11 носи́льщик
12 теле́жка
13 пассажи́р

Дополнительный список

приезжа́ть / прие́хать
  ~ на вокза́л
проходи́ть / пройти́
  ~ в ка́ссовый зал
  ~ в зал ожида́ния
  ~ в ко́мнату ма́тери и ребёнка
  ~ в ка́меру хране́ния
нести́ *нсв*
  ~ ве́щи
  ~ чемода́н
сдава́ть / сдать
  ~ ве́щи в бага́ж
  ~ чемода́н в ка́меру хране́ния
получа́ть / получи́ть
  ~ ве́щи
  ~ чемода́н в ка́мере хране́ния
брать / взять
  ~ ве́щи из ка́меры хране́ния
  ~ биле́т
  ~ носи́льщика

1
14-20
МОСКВА-КИЕВ 15-00 5
3
СПРАВОЧНАЯ
2
КАССА
1
КАССА
2
КАССА
3
4
7
6
5
8

НА ЖЕЛЕЗНОДОРО́ЖНОЙ СТА́НЦИИ

1 железнодоро́жная ста́нция
2 путь / железнодоро́жный путь
3 мост / железнодоро́жный мост
4 ре́льсы, *ед.* рельс
5 шпа́лы, *ед.* шпа́ла
6 по́езд
7 электропо́езд / электри́чка
8 электрово́з
9 теплово́з
10 машини́ст
11 ваго́н
12 проводни́к
13 платфо́рма / перро́н

Дополнительный список

по́езд
  пассажи́рский по́езд
  ско́рый по́езд
  това́рный по́езд

ваго́н
- това́рный ваго́н
- почто́вый ваго́н
- плацка́ртный ваго́н
- купи́рованный ваго́н
- мя́гкий ваго́н
- ваго́н-рестора́н

поса́дка
- объявля́ть / объяви́ть поса́дку [на по́езд]

отправле́ние
- отправле́ние по́езда

подходи́ть / подойти́
- ~ к ста́нции
- ~ к платфо́рме

отходи́ть / отойти́
- ~ от ста́нции
- ~ от платфо́рмы

прибыва́ть / прибы́ть
- ~ без опозда́ния
- ~ по расписа́нию

отправля́ться / отпра́виться
- ~ во́время

выходи́ть / вы́йти
- ~ на платфо́рму
- ~ на перро́н

В ВАГО́НЕ

1 купе́
2 ве́рхняя по́лка
3 ни́жняя по́лка
4 ме́сто
5 сто́лик
6 посте́ль

Дополнительный список

входи́ть / войти́
- ~ в ваго́н
- ~ в купе́

занима́ть / заня́ть
- ~ купе́
- ~ ме́сто
- ~ [ни́жнюю] по́лку

ВОЗДУ́ШНОЕ СООБЩЕ́НИЕ

В АЭРОПОРТУ́

1 расписа́ние ре́йсов
2 спра́вочная *сущ.*
3 диспе́тчер
4 биле́тная ка́сса
5 пассажи́р
6 регистра́ция биле́тов
7 весы́ *только мн.*
8 лётное по́ле
9 взлётная полоса́
10 самолёт
  11 кры́лья, *ед.* крыло́
  12 хвост [самолёта]
  13 дви́гатель
  14 шасси́
  15 трап
16 вертолёт
  17 винт

В САМОЛЁТЕ

18 сало́н
19 иллюмина́тор
20 кре́сло
  21 подголо́вник
  22 подлоко́тник
  23 реме́нь
24 вентиля́тор
25 табло́
26 бортпроводни́ца / стюарде́сса
27 каби́на пило́та
28 лётчик / пило́т

Дополнительный список

вы́лет
  вы́лет самолёта
рейс
  но́мер ре́йса
полёт
  высота́ полёта
  ско́рость полёта
  находи́ться *нсв* в полёте два часа́
лётная пого́да
нелётная пого́да
объявля́ть / объяви́ть
  ~ поса́дку [на самолёт]
проходи́ть / пройти́
  ~ на поса́дку
  ~ в сало́н [самолёта]
пристёгивать / пристегну́ть
  ~ ремни́
вызыва́ть / вы́звать
  ~ стюарде́ссу
включа́ть / включи́ть
  ~ вентиля́тор
набира́ть / набра́ть
  ~ высоту́
лета́ть / прилета́ть
  ~ на самолёте (самолётом)

вылета́ть / вы́лететь
поднима́ться / подня́ться *(о самолёте)*
приземля́ться / приземли́ться *(о самолёте)*
сади́ться / сесть
~ в кре́сло
спуска́ться / спусти́ться
~ по тра́пу

ВО́ДНОЕ СООБЩЕ́НИЕ

В ПОРТУ́

1 грузово́е су́дно
2 теплохо́д
3 каю́та
4 па́русный кора́бль
5 ма́чта
6 спаса́тельный круг
7 я́корь
8 трап
9 нос
10 па́луба
11 корма́
12 иллюмина́тор
13 борт
14 капита́нский мо́стик
15 рулева́я бу́дка
16 штурва́л
17 капита́н
18 рулево́й
19 матро́с
20 „Раке́та” *(су́дно на подво́дных кры́льях)*
21 ка́тер
22 мото́рная ло́дка
23 мото́р
24 ло́дка
25 весло́
26 при́стань
27 прича́л
28 подъёмный кран

Дополнительный список

речно́й вокза́л
плыть, пла́вать
~ на теплохо́де
~ на ка́тере
~ на „Раке́те”
речно́й вокза́л
плыть, пла́вать
~ на теплохо́де
~ на ка́тере
~ на „Раке́те”
~ на ло́дке
грести́
~ вёслами
броса́ть / бро́сить
~ я́корь
стать
~ на я́корь
снима́ться / сня́ться
~ с я́коря
сходи́ть / сойти́
~ на бе́рег (по тра́пу)

выходи́ть / вы́йти
~ на па́лубу
стоя́ть *нсв*
~ на я́коре
~ на па́лубе
~ у бо́рта
~ у прича́ла
прича́ливать / прича́лить
~ к при́стани
пристава́ть / приста́ть
~ к бе́регу

10. МАГАЗИ́Н

В МАГАЗИ́НЕ

1 витри́на
2 прила́вок
3 теле́жка для проду́ктов
4 покупа́тель
5 продаве́ц
6 весы́ *только мн.*
7 це́нник
8 табло́
9 ка́сса
10 касси́р
11 чек
12 де́ньги *только мн.*

Дополнительный список

универса́м
универма́г
магази́н
    магази́н самообслу́живания
    продово́льственный (продукто́вый) магази́н
    конди́терский магази́н
    мясно́й магази́н
    ры́бный магази́н
    галантере́йный магази́н
    парфюме́рный магази́н
    обувно́й магази́н
    ме́бельный магази́н
    промтова́рный магази́н
    хозя́йственный магази́н
    кни́жный магази́н
    цвето́чный магази́н
    ювели́рный магази́н
    комиссио́нный магази́н
    магази́н „Де́тский мир"
    магази́н „Гастроно́м"
    магази́н „Дие́та"
    магази́н „Овощи-фру́кты"
    магази́н „Океа́н"
    магази́н „Оде́жда"
    магази́н „Тка́ни"
    магази́н „Пода́рки"
    магази́н „Культтова́ры" („Канцтова́ры", „Шко́льно-пи́сьменные принадле́жности", „Игру́шки", „Радиотова́ры", „Фототова́ры", „Грампласти́нки")
    магази́н „Спорттова́ры"
    магази́н „Электротова́ры"
    дире́ктор магази́на
я́рмарка
ры́нок
кио́ск
    кио́ск „Моро́женое"
    газе́тный кио́ск
пала́тка
ларёк
павильо́н
отде́л
    бакале́йный отде́л
    гастрономи́ческий отде́л
    отде́л зака́зов
се́кция
    обувна́я се́кция
    се́кция игру́шек
проду́кты, *ед.* проду́кт
    мясны́е проду́кты
    моло́чные проду́кты
изде́лия, *ед.* изде́лие
    макаро́нные изде́лия
    конди́терские изде́лия
    ювели́рные изде́лия
това́ры, *ед.* това́р
    гастрономи́ческие това́ры
    промы́шленные това́ры
    това́ры ма́ссового потребле́ния
поку́пка
весы́ *только мн.*
    электро́нные весы́
ги́ря
    килогра́ммовая ги́ря
    стограммо́вая ги́ря
цена́
    прода́жа това́ров по сни́женным це́нам
чек
    выбива́ть / вы́бить чек
    выпи́сывать / вы́писать чек
сда́ча
    дава́ть / дать сда́чу
    получа́ть / получи́ть сда́чу
    брать / взять сда́чу
копе́йка
    одна́ копе́йка
    две копе́йки
    три копе́йки
    пять копе́ек
    де́сять копе́ек
    пятна́дцать копе́ек
    два́дцать копе́ек
    пятьдеся́т копе́ек
рубль
    бума́жный рубль
    металли́ческий рубль
    три рубля́
    пять рубле́й
    де́сять рубле́й
    два́дцать пять рубле́й
    пятьдеся́т рубле́й
    сто рубле́й
ме́лочь
    получа́ть / получи́ть сда́чу ме́лочью
    дава́ть / дать сда́чу ме́лочью

моне́та
двухкопе́ечная моне́та
пятикопе́ечная моне́та
завёртывать / заверну́ть поку́пку
взве́шивать / взве́сить
~ ма́сло
~ колбасу́
продава́ть / прода́ть
~ проду́кты
~ кни́ги
покупа́ть / купи́ть
~ проду́кты
~ кни́ги
плати́ть / уплати́ть
~ де́ньги в ка́ссу
сто́ить *нсв*
сто́ит до́рого
сто́ит дёшево
сто́ит 3 (три) рубля́
тра́тить / истра́тить
~ де́ньги
расхо́довать / израсхо́дотать
~ де́ньги

В ПРОДОВО́ЛЬСТВЕННОМ (ПРОДУКТО́ВОМ) МАГАЗИ́НЕ

В ОТДЕ́ЛЕ „ГАСТРОНО́МИЯ''

1 мя́со:
говя́дина
бара́нина
свини́на

2 пти́ца:
ку́рица
у́тка
гусь
инде́йка

3 бужени́на
4 о́корок
5 са́ло
6 коре́йка
7 груди́нка
8 колбаса́
9 соси́ски, *ед.* соси́ска
10 сарде́льки, *ед.* сарде́лька

В ОТДЕ́ЛЕ „РЫ́БА''

1 моро́женая ры́ба
2 жива́я ры́ба
3 копчёная ры́ба
4 жа́реная ры́ба
5 ры́бное филе́
6 икра́ [кра́сная икра́, чёрная икра́]
7 ки́льки, *ед.* ки́лька
8 сельдь / селёдка
9 ры́бные консе́рвы

В ОТДЕЛЕ „МОЛОКО"

1 молоко́
2 кефи́р
3 простоква́ша
4 сли́вки *только мн.*
5 смета́на
6 тво́рог
7 творо́жный сыро́к
8 сыр
9 пла́вленый сыр
10 сли́вочное ма́сло
11 маргари́н
12 я́йца, *ед.* **яйцо́**

Дополнительный список

буты́лка
  буты́лка молока́
  буты́лка кефи́ра
  буты́лка ря́женки
ба́нка
  ба́нка смета́ны
па́чка
  па́чка ма́сла
  па́чка тво́рога
паке́т
  паке́т молока́
  паке́т сли́вок

В ОТДЕ́ЛЕ „БАКАЛЕ́Я"

1 мука́
2 крупа́:
ма́нная
гре́чневая
перло́вая
пшено́
рис
3 са́хар
са́хар-рафина́д
са́харный песо́к
4 макаро́ны
5 вермише́ль
6 соль
7 пе́рец
8 лавро́вый лист
9 чай
10 ко́фе *нескл. м.*
ко́фе в зёрнах
мо́лотый ко́фе
раствори́мый ко́фе
11 кака́о

Дополнительный список

пake ́т
пакет ́ муки́
па́чка
па́чка са́хара
па́чка ча́я
па́чка со́ли
коро́бка
коро́бка вермише́ли
ба́нка
ба́нка ко́фе
быстрораствори́мый са́хар

В ОТДЕ́ЛЕ „КОНДИ́ТЕРСКИЕ ИЗДЕ́ЛИЯ"

1 конфе́ты, *ед.* **конфе́та**
2 пече́нье
3 ва́фли, *ед.* **ва́фля**
4 пря́ники, *ед.* **пря́ник**
5 пиро́жные, *ед.* **пиро́жное**
6 торт
7 кекс
8 мармела́д
9 халва́
10 пастила́
11 зефи́р
12 шокола́д
13 караме́ль
14 леденцы́, *ед.* **ледене́ц**

Дополнительный список

коро́бка
коро́бка конфе́т
коро́бка пече́нья
па́чка
па́чка пече́нья
па́чка ва́фель
пли́тка
пли́тка шокола́да

В ОТДЕ́ЛЕ „ХЛЕБ”

1 чёрный хлеб
2 бато́н
3 бу́лка
4 кала́ч
5 бу́лочка
6 су́шки, *ед.* су́шка
7 бара́нки, *ед.* бара́нка
8 бу́блики, *ед.* бу́блик
9 сухари́, *ед.* суха́рь

Дополнительный список

бу́лочная
кру́глый хлеб
бе́лый хлеб
ржано́й хлеб
мя́гкий, -ая, -ое, -ие
  мя́гкий бато́н
  мя́гкая бу́лка
чёрствый, -ая, -ое, -ые
  чёрствый хлеб
  чёрствая бу́лка

В ОТДЕ́ЛЕ „СО́КИ-ВО́ДЫ"

1 со́ки, *ед.* **сок**
2 фрукто́вая вода́
3 минера́льная вода́
4 газиро́ванная вода́
5 моло́чный кокте́йль

Дополнительный список

сок
  тома́тный сок
  виногра́дный сок
  я́блочный сок
вода́
  газиро́ванная вода́ [с сиро́пом]
стака́н
  стака́н со́ка
  стака́н воды́
лимона́д

В ОТДЕ́ЛЕ „О́ВОЩИ-ФРУ́КТЫ"
Фру́кты и я́годы

1 я́блоки, *ед.* **я́блоко**
2 гру́ши, *ед.* **гру́ша**
3 сли́вы, *ед.* **сли́ва**
4 абрико́сы, *ед.* **абрико́с**
5 пе́рсики, *ед.* **пе́рсик**
6 апельси́ны, *ед.* **апельси́н**
7 мандари́ны, *ед.* **мандари́н**
8 лимо́ны, *ед.* **лимо́н**
9 грана́ты, *ед.* **грана́т**
10 бана́ны, *ед.* **бана́н**
11 анана́сы, *ед.* **анана́с**
12 виногра́д
13 клубни́ка
14 ви́шня
15 чере́шня
16 арбу́з
17 ды́ня
18 курага́
19 черносли́в
20 изю́м
21 компо́т
22 варе́нье

Овощи

23 карто́фель / *разг.* **карто́шка**
24 капу́ста
25 морко́вь
26 петру́шка
27 свёкла
28 огурцы́, *ед.* **огуре́ц**
29 помидо́ры, *ед.* **помидо́р**
30 пе́рец
31 ре́пчатый лук
32 зелёный лук
33 реди́с / *разг.* **реди́ска**

34 чесно́к
35 зелёный горо́шек
36 ты́ква

Дополнительный список

фру́кты, *ед.* фрукт
  сушёные фру́кты / сухофру́кты
  консерви́рованные фру́кты
я́годы, *ед.* я́года
джем
пови́дло
ба́нка
  ба́нка компо́та
  ба́нка варе́нья
  ба́нка зелёного горо́шка
о́вощи, *ед.* о́вощ
све́жий, -ая, -ее, -ие
  све́жие огурцы́
  све́жие помидо́ры
  све́жая капу́ста
ква́шеная (ки́слая) капу́ста
солёный, -ая, -ое, -ые
  солёные огурцы́
  солёные помидо́ры

15
4
8
7
9
5
19
10
1
3
2
6
14
12
16
20
35
17
31
25
33
30
29
36
28
34
27
32
26
23
24

В УНИВЕРМА́ГЕ

В ОТДЕ́ЛЕ „ОДЕ́ЖДА"

1 зи́мнее пальто́
2 шу́ба
3 демисезо́нное пальто́
4 полупальто́ *нескл. ср.*
5 плащ
6 ку́ртка
7 костю́м
8 пиджа́к
9 брю́ки *только мн.*
10 руба́шка
11 блу́зка
12 ю́бка
13 пла́тье
14 хала́т
15 приме́рочная каби́на
16 зе́ркало

Дополнительный список

оде́жда
- ве́рхняя оде́жда
- мужска́я оде́жда
- же́нская оде́жда
- де́тская оде́жда

фо́рма
- шко́льная фо́рма
- пионе́рская фо́рма

фа́ртук

разме́р
- разме́р пла́тья
- разме́р костю́ма

рост
- пе́рвый (второ́й, тре́тий, четвёртый, пя́тый) рост
- костю́м пе́рвого ро́ста
- пла́тье тре́тьего ро́ста

же́нский, -ая, -ое, -ие
же́нский плащ
же́нские брю́ки
мужско́й, -а́я, -о́е, -и́е
мужско́й плащ
мужско́й костю́м

В ОТДЕ́ЛЕ „БЕЛЬЁ"

1 ма́йка
2 трусы́ *только мн.*
3 комбина́ция
4 ночна́я руба́шка
5 пижа́ма

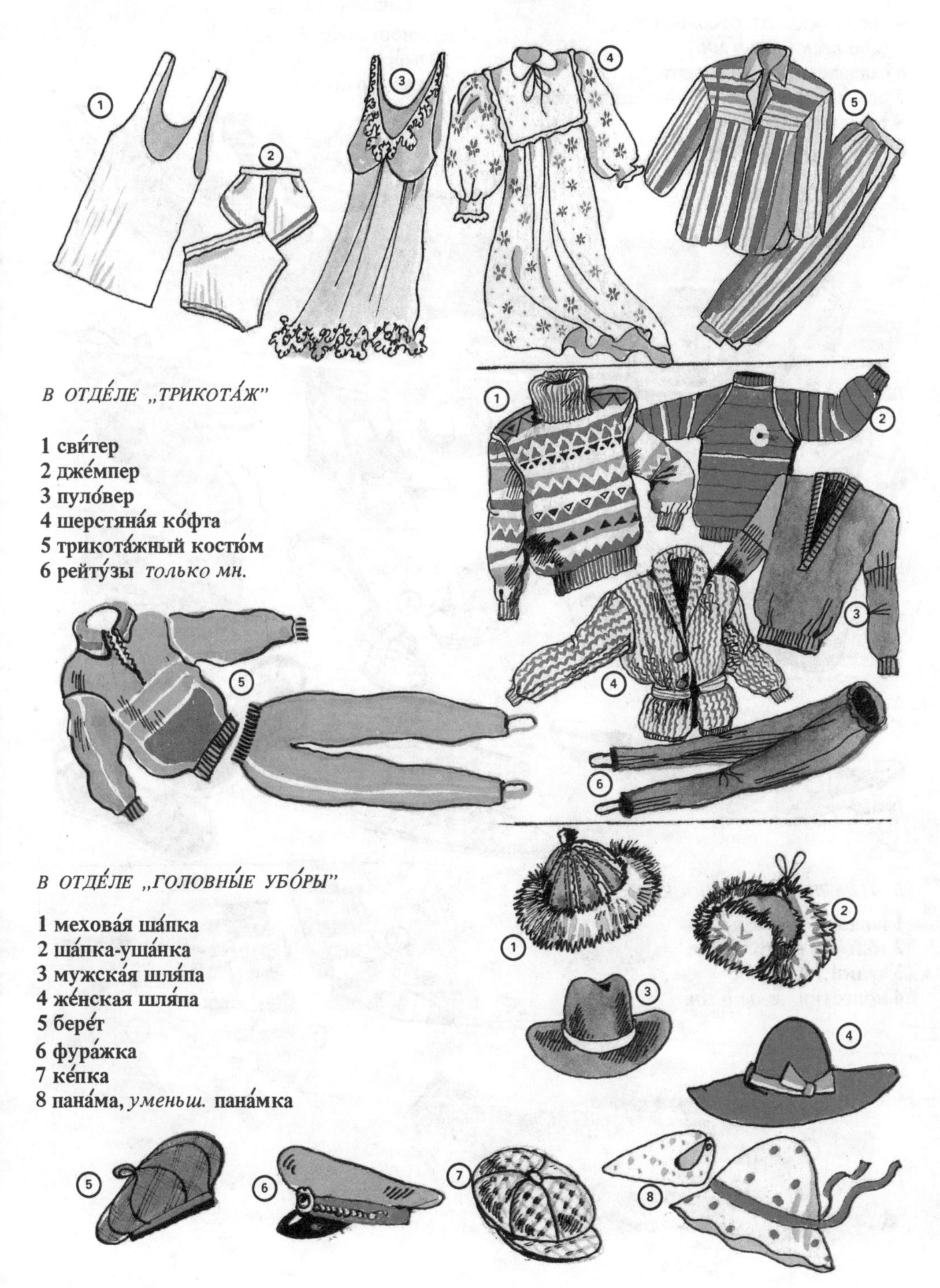

В ОТДЕ́ЛЕ „ТРИКОТА́Ж"

1 сви́тер
2 дже́мпер
3 пуло́вер
4 шерстяна́я ко́фта
5 трикота́жный костю́м
6 рейту́зы *только мн.*

В ОТДЕ́ЛЕ „ГОЛОВНЫ́Е УБО́РЫ"

1 мехова́я ша́пка
2 ша́пка-уша́нка
3 мужска́я шля́па
4 же́нская шля́па
5 бере́т
6 фура́жка
7 ке́пка
8 пана́ма, *уменьш.* **пана́мка**

В ОТДЕ́ЛЕ „О́БУВЬ"

1 сапоги́ (мужски́е, же́нские, де́тские), *ед.* **сапо́г**
2 ту́фли (мужски́е, же́нские, де́тские), *ед.* **ту́фля**
3 боти́нки (мужски́е, де́тские), *ед.* **боти́нок**
4 босоно́жки, *ед.* **босоно́жка**
5 са́бо *нескл. ср. и мн.*
6 сандале́ты, *ед.* **сандале́та**
7 дома́шние ту́фли, *ед.* **дома́шняя ту́фля**
8 та́почки, *ед.* **та́почка**
9 гало́ши, *ед.* **гало́ша**

Дополнительный список

о́бувь
- мужска́я о́бувь
- же́нская о́бувь
- де́тская о́бувь
- ко́жаная о́бувь
- рези́новая о́бувь
- спорти́вная о́бувь

разме́р
- разме́р о́буви

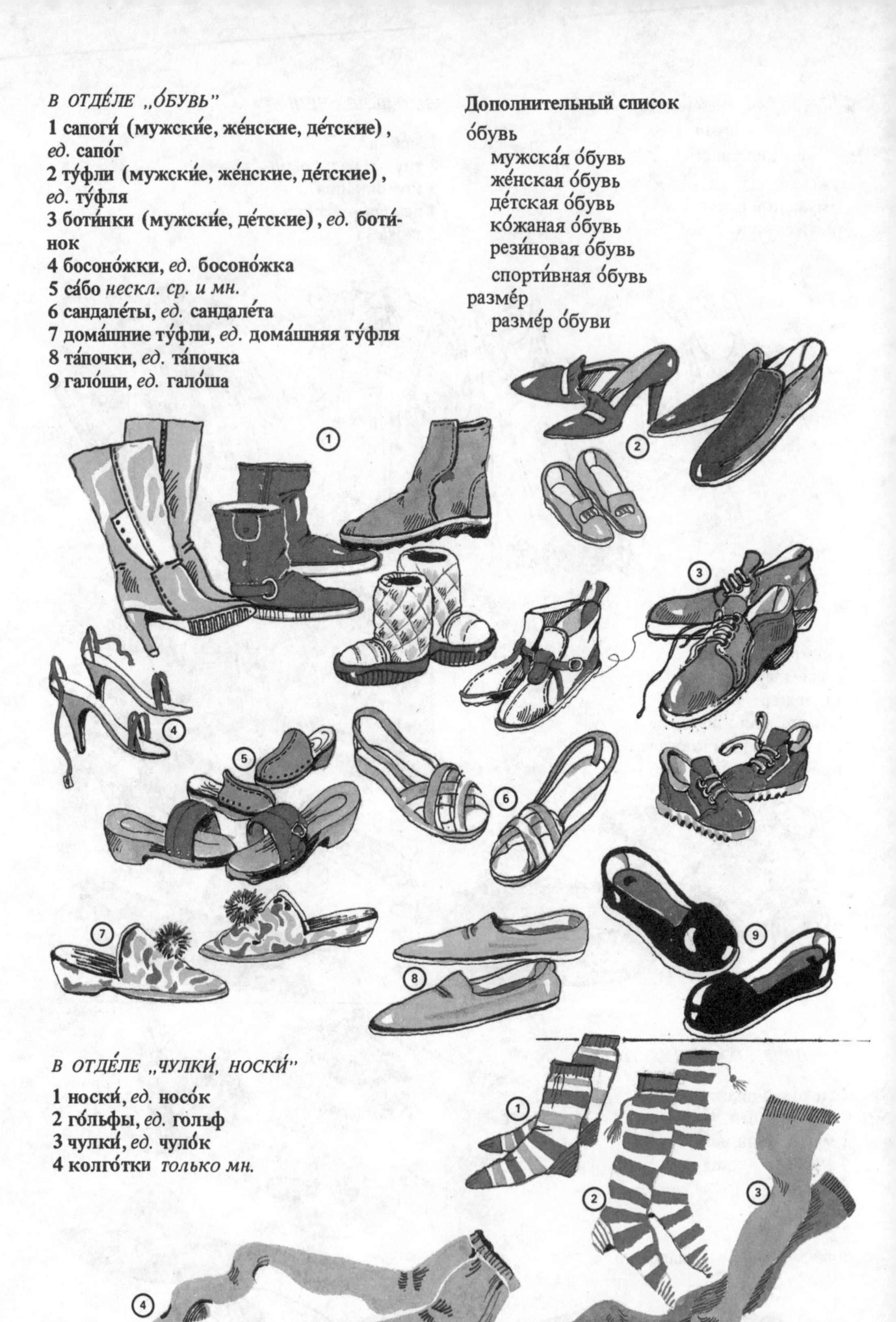

В ОТДЕ́ЛЕ „ЧУЛКИ́, НОСКИ́"

1 носки́, *ед.* **носо́к**
2 го́льфы, *ед.* **гольф**
3 чулки́, *ед.* **чуло́к**
4 колго́тки *только мн.*

В ОТДЕ́ЛЕ „ТКА́НИ”

1 ткань
2 прила́вок
3 метр
4 но́жницы *только мн.*
5 продаве́ц
6 покупа́тель

Дополнительный список

ткань
   льняна́я ткань
   хлопчатобума́жная ткань
   шерстяна́я ткань
   шёлковая ткань
расцве́тка
   я́ркая расцве́тка

В ОТДЕ́ЛЕ „ПАРФЮМЕ́РИЯ”

1 духи́ *только мн.*
2 одеколо́н
3 шампу́нь
4 мы́ло
5 крем
6 зубна́я па́ста
7 зубно́й порошо́к

Дополнительный список

мы́ло
   туале́тное мы́ло
   хозя́йственное мы́ло
   ба́нное мы́ло
   де́тское мы́ло
крем
   крем для рук
   крем для лица́

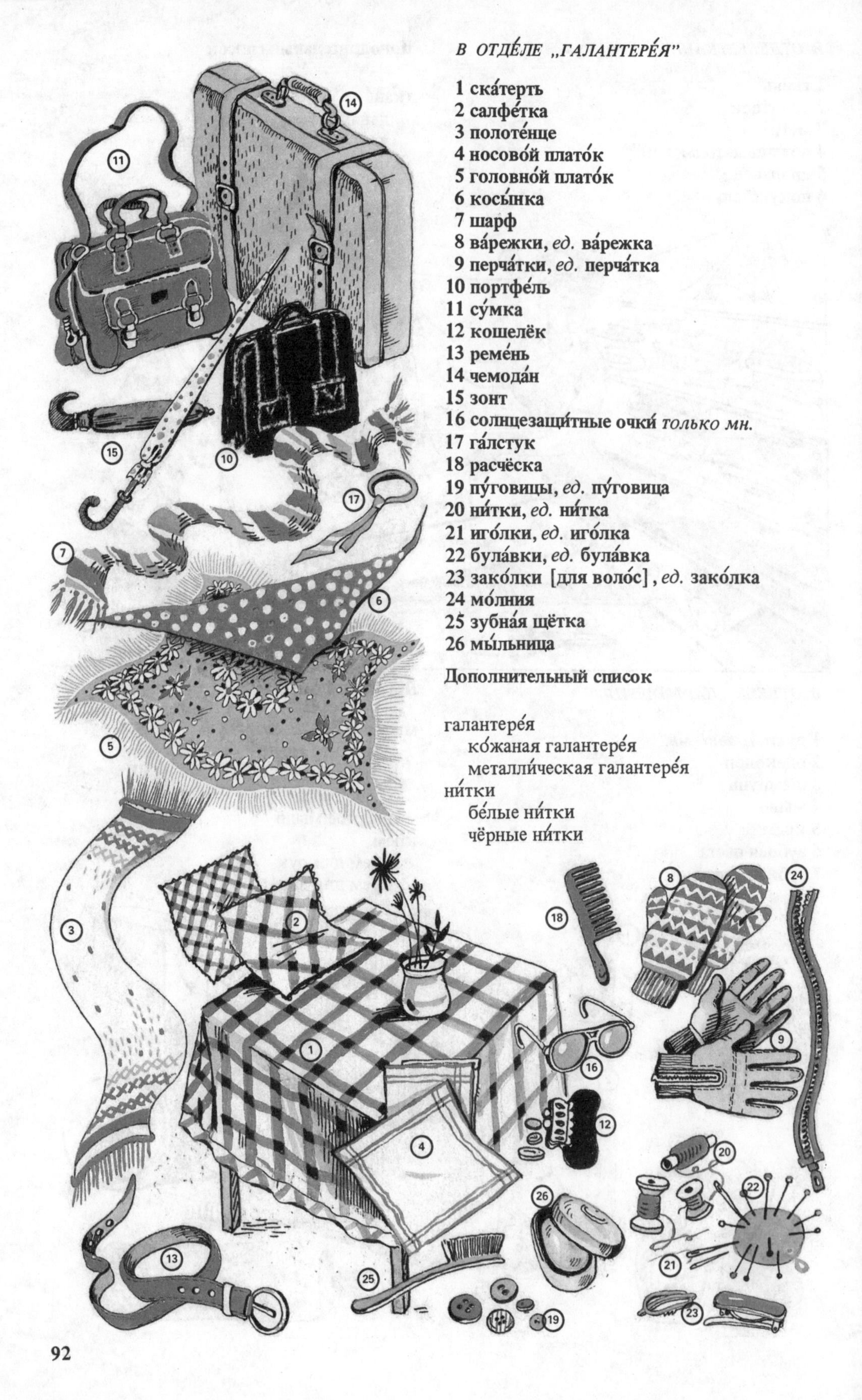

В ОТДЕ́ЛЕ „ГАЛАНТЕРЕ́Я"

1 ска́терть
2 салфе́тка
3 полоте́нце
4 носово́й плато́к
5 головно́й плато́к
6 косы́нка
7 шарф
8 ва́режки, *ед.* ва́режка
9 перча́тки, *ед.* перча́тка
10 портфе́ль
11 су́мка
12 кошелёк
13 реме́нь
14 чемода́н
15 зонт
16 солнцезащи́тные очки́ *только мн.*
17 га́лстук
18 расчёска
19 пу́говицы, *ед.* пу́говица
20 ни́тки, *ед.* ни́тка
21 иго́лки, *ед.* иго́лка
22 була́вки, *ед.* була́вка
23 зако́лки [для воло́с], *ед.* зако́лка
24 мо́лния
25 зубна́я щётка
26 мы́льница

Дополнительный список

галантере́я
  ко́жаная галантере́я
  металли́ческая галантере́я
ни́тки
  бе́лые ни́тки
  чёрные ни́тки

В ОТДЕ́ЛЕ „ЧАСЫ́, ЮВЕЛИ́РНЫЕ ИЗДЕ́ЛИЯ"

1 часы́ (нару́чные, карма́нные, насто́льные, насте́нные) *только мн.*
2 буди́льник
3 кольцо́
4 се́рьги, *ед.* **серьга́**
5 брасле́т
6 брасле́т для часо́в
7 ремешо́к для часо́в
8 брошь
9 за́понки, *ед.* **за́понка**
10 бу́сы *только мн.*
11 кли́псы, *ед.* **кли́пса**
12 цепо́чка

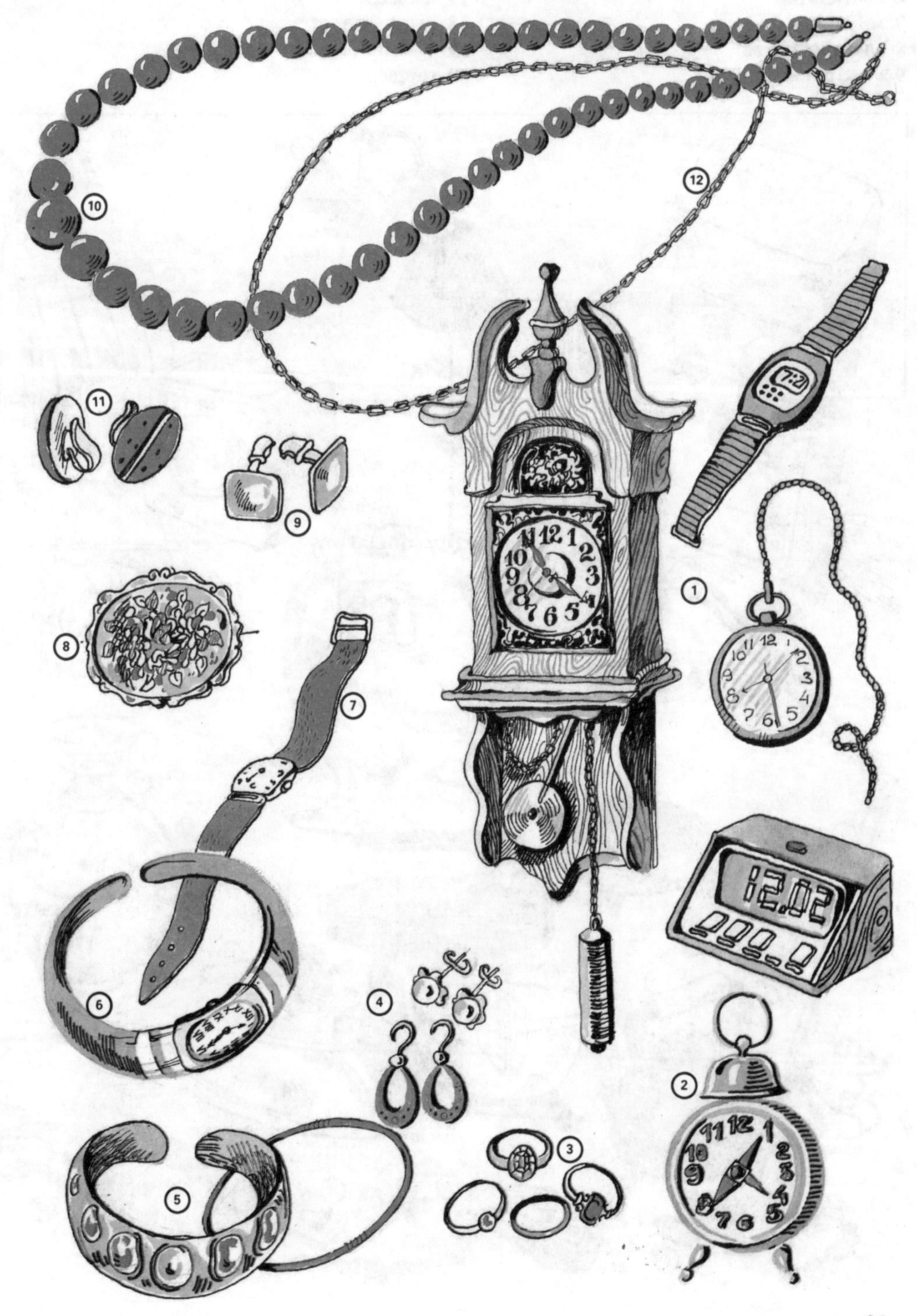

В ОТДЕ́ЛЕ „ЭЛЕКТРОТОВА́РЫ"

1 лю́стра
2 бра *нескл. ср.*
3 насто́льная ла́мпа
4 электри́ческая ла́мпа
5 батаре́йка
6 вентиля́тор
7 ми́ксер
8 электробри́тва
9 электрокамин́
10 электросамова́р
11 электроча́йник
12 кипяти́льник
13 утю́г
14 электропли́тка
15 холоди́льник
16 стира́льная маши́на
17 пылесо́с
18 выключа́тель
19 фона́рик
20 торше́р

В ОТДЕ́ЛЕ „СПОРТТОВА́РЫ"

1 **лы́жи**, *ед.* **лы́жа**
2 **лы́жные па́лки**, *ед.* **лы́жная па́лка**
3 **коньки́ (беговы́е, хокке́йные, для фигу́рного ката́ния)**, *ед.* **конёк**
4 **боти́нки (лы́жные, для конько́в)**, *ед.* **боти́нок**
5 **кроссо́вки**, *ед.* **кроссо́вка**
6 **ке́ды**, *ед.* **кед и ке́да**
7 **че́шки**, *ед.* **че́шка**
8 **футбо́льный мяч**
9 **клю́шка**
10 **ша́йба**
11 **о́бруч**
12 **скака́лка**
13 **ла́сты**, *ед.* **ласт**
14 **ганте́ли**, *ед.* **ганте́ль**
15 **рюкза́к**
16 **раке́тка**
17 **у́дочка**
18 **ша́хматы** *только мн.*
19 **ша́шки** *мн.*
20 **са́нки** *только мн.*

Дополнительный список

спорти́вный, -ая, -ое, -ые
спорти́вный инвента́рь
спорти́вная оде́жда
рыболо́вные принадле́жности

В ОТДЕ́ЛЕ „ХОЗЯ́ЙСТВЕННЫЕ ТОВА́РЫ"

1 гво́зди, *ед.* **гвоздь**
2 шуру́пы, *ед.* **шуру́п**
3 молото́к
4 топо́р
5 пила́
6 верёвка
7 замо́к
8 ключ
9 кастрю́ля
10 ми́ска
11 сковорода́
12 кру́жка
13 ча́йник
14 ведро́
15 таз
16 бак
17 щётка
18 порошо́к / стира́льный порошо́к

11. СЛУ́ЖБА БЫ́ТА

ПАРИКМА́ХЕРСКАЯ

В ПАРИКМА́ХЕРСКОЙ

1 парикма́хер
2 клие́нт
3 клие́нтка
4 кре́сло
5 зе́ркало
6 ра́ковина
7 пеньюа́р
8 салфе́тка
9 но́жницы *только мн.*
10 маши́нка [для стри́жки]
11 расчёска
12 щётка [для воло́с]
13 фен
14 бигуди́ *нескл. ср. и мн.*
15 бри́тва
16 ки́сточка [для бритья́] / помазо́к
17 одеколо́н
18 пульвериза́тор
19 маникю́рша
20 пи́лка [для ногте́й]
21 лак [для ногте́й]

Дополнительный список

зал
  мужско́й зал
  же́нский зал
причёска
  мо́дная причёска
  де́лать / сде́лать причёску
маникю́р
  де́лать / сде́лать маникю́р
шампу́нь
  кра́сящий шампу́нь
тушь
  тушь для ресни́ц
лак
  лак для воло́с
  лак для ногте́й
  покрыва́ть / покры́ть но́гти ла́ком
стри́жка
  коро́ткая стри́жка
причёсывать / причеса́ть
  ~ во́лосы
стричь / постри́чь
  ~ во́лосы
стри́чься / постри́чься
мыть / помы́ть, вы́мыть
  ~ го́лову
бри́ться / побри́ться
  ~ безопа́сной бри́твой
  ~ электробри́твой

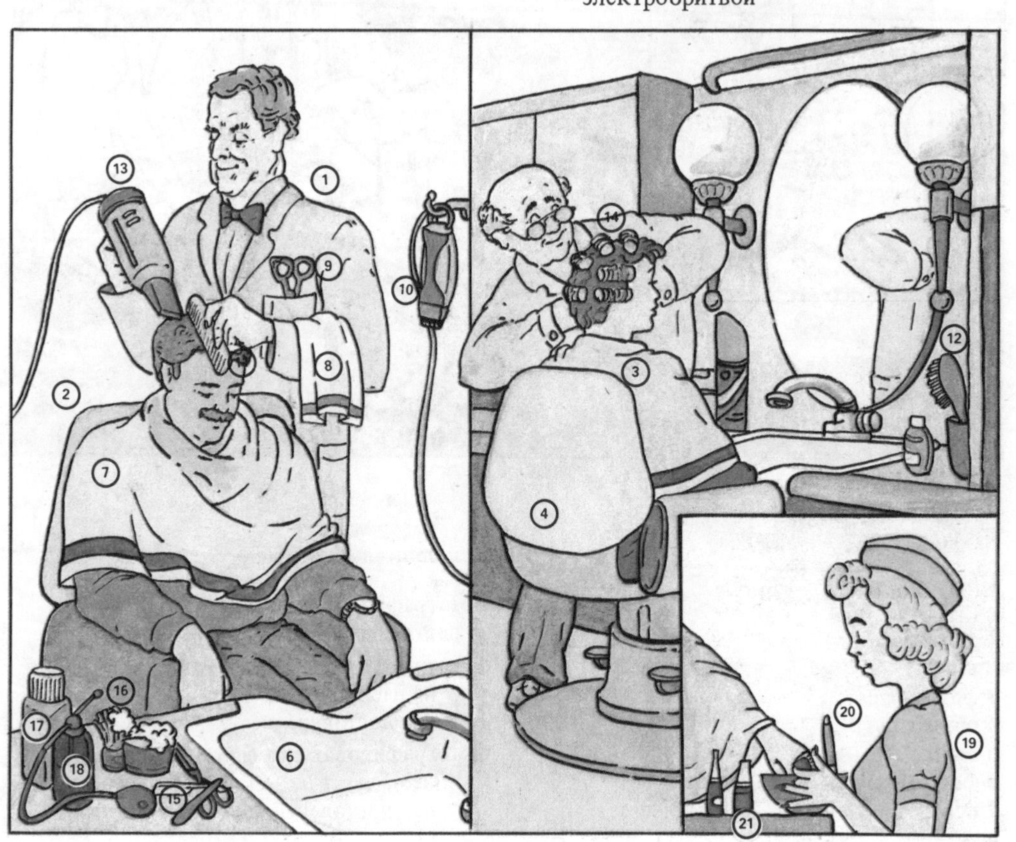

АТЕЛЬЕ́

В САЛО́НЕ АТЕЛЬЕ́

1 зака́зчица
2 приёмщица
3 журна́л мод
4 закро́йщик
5 сантиме́тр
6 приме́рочная

Дополнительный список

зака́з
  приём зака́зов
  принима́ть / приня́ть зака́з
зака́зчик
фасо́н
  мо́дный фасо́н
  фасо́н пла́тья
  выбира́ть / вы́брать фасо́н
приме́рка
  пе́рвая (втора́я) приме́рка
  прийти́ на приме́рку
  де́лать / сде́лать приме́рку
мо́дный, -ая, -ое, -ые
  мо́дный костю́м
  мо́дное пла́тье
зака́зывать / заказа́ть
  ~ пальто́ (пла́тье) в ателье́
шить / сшить
  ~ костю́м
  ~ брю́ки
примеря́ть / приме́рить
  ~ пла́тье
  ~ костю́м
гла́дить / вы́гладить
  ~ костю́м
  ~ брю́ки
утю́жить / отутю́жить, вы́утюжить
  ~ костю́м
  ~ брю́ки

ФОТОАТЕЛЬЕ́

В САЛО́НЕ ФОТОАТЕЛЬЕ́

1 фото́граф
2 клие́нт
3 фотоаппара́т
4 объекти́в
5 блиц
6 фотока́рточка
7 портре́т

Дополнительный список

фотогра́фия
  цветна́я фотогра́фия
фотографи́ровать / сфотографи́ровать
  ~ на па́спорт
  ~ на удостовере́ние
фотографи́роваться / сфотографи́роваться
  ~ на па́спорт
  ~ на удостовере́ние

МАСТЕРСКА́Я „РЕМО́НТ О́БУВИ"

В МАСТЕРСКО́Й ПО РЕМО́НТУ О́БУВИ

1 приёмщица
2 ма́стер по ремо́нту о́буви
3 молото́к
4 каблу́к
5 подмётка
6 набо́йка
7 маши́на для проши́вки о́буви

Дополнительный список

ремо́нт
   ремо́нт о́буви
   сро́чный ремо́нт
   отдава́ть / отда́ть ту́фли (боти́нки) в ремо́нт

кра́сить / покра́сить

ремонти́ровать / отремонти́ровать
   ~ сапоги́
   ~ ту́фли
чини́ть / почини́ть
   ~ сапоги́
   ~ ту́фли
прибива́ть / приби́ть
   ~ каблу́к
де́лать / сде́лать
   ~ набо́йки
прикле́ивать / прикле́ить
   ~ подмётки
прошива́ть / проши́ть
   ~ за́дник
   ~ носо́к
вставля́ть / вста́вить
   ~ мо́лнию

ПРА́ЧЕЧНАЯ И ХИМЧИ́СТКА

В ПРА́ЧЕЧНОЙ И ХИМЧИ́СТКЕ

1 стира́льная маши́на
2 глади́льная маши́на
3 маши́на химчи́стки
4 бельё
5 ме́тка
6 теле́жка [для белья́]

Дополнительный список

сдава́ть / сдать
 ~ бельё в сти́рку
 ~ пла́тье в химчи́стку
чи́стить / почи́стить
 ~ костю́м
выводи́ть / вы́вести
 ~ пя́тна
получа́ть / получи́ть
 ~ бельё из пра́чечной
 ~ оде́жду из химчи́стки
суши́ть / вы́сушить
 ~ бельё
гла́дить / вы́гладить
 ~ бельё

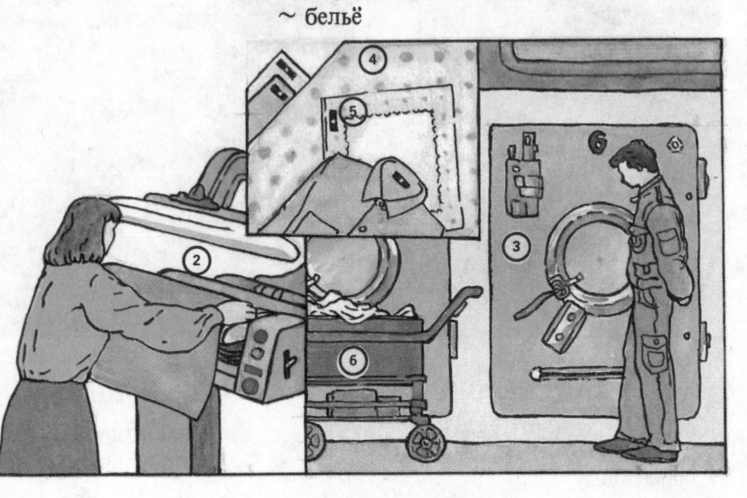

12. ЗАВО́Д. ФА́БРИКА

НА МАШИНОСТРО́ИТЕЛЬНОМ ЗАВО́ДЕ

1 заво́д
2 цех
3 стано́к
4 рабо́чий *сущ.*
5 резе́ц
6 инструме́нты, *ед.* **инструме́нт**
7 дета́ль
8 конве́йер

НА ТКА́ЦКОЙ ФА́БРИКЕ

9 фа́брика
10 тка́цкий стано́к
11 ткачи́ха
12 боби́на
13 пря́жа
14 ткань

Общий дополнительный список к теме „Заво́д. Фа́брика"

предприя́тие
 промы́шленное предприя́тие
комбина́т
обору́дование
 промы́шленное обору́дование
 заводско́е обору́дование
произво́дство
 промы́шленное произво́дство
 проце́сс произво́дства
 сре́дства произво́дства
автоматиза́ция
 автоматиза́ция произво́дства
механиза́ция
 ко́мплексная механиза́ция
 механиза́ция произво́дства
механи́зм
автома́т
стано́к
 фре́зерный стано́к
 сверли́льный стано́к
прибо́р
аппара́т
устро́йство
приспособле́ние
инжене́р
констру́ктор
меха́ник
те́хник
ма́стер
опера́тор
бригади́р
фрезеро́вщик

сле́сарь
сва́рщик
брига́да
брига́дный подря́д
сме́на
пе́рвая (втора́я) сме́на
труд
уда́рный труд
ору́дия труда́
охра́на труда́
ветера́н труда́
план
пятиле́тний план / пятиле́тка
выполня́ть / вы́полнить план
хозрасчёт
самоокупа́емость
соревнова́ние
социалисти́ческое соревнова́ние / соцсоревно-ва́ние
победи́тель социалисти́ческого соревнова́ния
вызыва́ть / вы́звать на соревнова́ние
обяза́тельство
социалисти́ческие обяза́тельства
рационализа́тор
изобрета́тель
нова́тор
изде́лие
промы́шленные изде́лия
проду́кция
промы́шленная проду́кция

рабо́чий, -ая, -ее, -ие
рабо́чий день
рабо́чая неде́ля
рабо́чее ме́сто
рабо́чий коллекти́в
рабо́тать *нсв*
~ на заво́де (на фа́брике)
~ на произво́дстве
~ на комбина́те
~ в цеху́
~ у станка́
~ на конве́йере
~ на ша́хте
~ в две сме́ны
~ в пе́рвую сме́ну
выпуска́ть / вы́пустить
~ изде́лия
~ проду́кцию
~ това́ры
~ маши́ны
изготовля́ть / изгото́вить
~ изде́лия
~ проду́кцию
~ това́ры
~ маши́ны
обраба́тывать / обрабо́тать
~ загото́вку
точи́ть / вы́точить
~ дета́ль [на станке́]

13. СТРОЙ́ТЕЛЬСТВО

НА СТРОЙ́ТЕЛЬСТВЕ ДО́МА

1 экскава́тор
2 экскава́торщик
3 бульдо́зер
4 бульдозери́ст
5 автосамосва́л
6 котлова́н
7 фунда́мент
8 армату́ра
9 бетономеша́лка
10 ба́шенный кран
11 автокра́н
12 крюк
13 трос
14 крановщи́ца
15 панелево́з
16 стена́
17 пане́ль
18 блок
19 монта́жник
20 кирпи́ч
21 ка́менщик
22 мастеро́к
23 цеме́нтный раство́р
24 штукату́р
25 лебёдка
26 такела́жник
27 стекло́
28 труба́
29 маля́р
30 кисть
31 кра́ска
32 доска́
33 пло́тник
34 ба́лка
35 электросва́рщик

1
2
9
6
7
8

17
22
20
21
10
19
23
14
18
35
16
25
26
13
11
12
15

Дополнительный список

строи́тель
строи́тельство
жили́щное строи́тельство
строи́тельство масто́в (доро́г, газопрово́да)
стро́йка
уда́рная комсомо́льская стро́йка
рабо́тать на стро́йке
брига́да
брига́да строи́телей
брига́да ка́менщиков
цеме́нт
и́звесть
бето́н
железобето́н
облицо́вочная плита́
кран / подъёмный кран
кранови́щк
строи́тельный, -ая, -ое, -ые
строи́тельная площа́дка
строи́тельные рабо́ты
строи́тельные материа́лы
стро́ить / постро́ить
~ жило́й дом
~ шко́лу
~ администрати́вное зда́ние
~ заво́д (фа́брику, мост, доро́гу)
прокла́дывать / проложи́ть
~ доро́гу
~ газопрово́д
кра́сить / покра́сить
~ кры́шу
~ сте́ны

14. НА СЕЛЕ́. В КОЛХО́ЗЕ

НА СЕЛЕ́

1 село́
2 центра́льная уса́дьба [колхо́за]
3 сельсове́т
4 правле́ние колхо́за
5 Доска́ почёта
6 Дворе́ц культу́ры
7 я́сли
8 де́тский сад
9 шко́ла
10 библиоте́ка
11 больни́ца
12 по́чта
13 сельма́г / се́льский магази́н
14 продукто́вый магази́н
15 кладова́я
16 уса́дьба колхо́зника
17 фе́рма
18 маши́нный двор
19 ремо́нтная мастерска́я
20 гара́ж
21 си́лосная ба́шня
22 склад
23 тепли́ца
24 па́сека
25 па́сечник
26 у́лей
27 пчела́
28 колхо́зный сад

Дополнительный список

рабо́та
 рабо́та в по́ле
 рабо́та на фе́рме
хозя́йство
 колхо́зное хозя́йство
фе́рма
 животново́дческая фе́рма
 свинофе́рма
 птицефе́рма
мёд
 ли́повый мёд
 со́ты с мёдом
колхо́зник
колхо́зница
агроно́м
зооте́хник
ветерина́рный врач
бригади́р
звеньево́й
звеньева́я
председа́тель колхо́за
дире́ктор совхо́за
дере́вня
колхо́з
совхо́з
 рабо́тать в совхо́зе
брига́да
 полево́дческая брига́да
 животново́дческая брига́да
звено́

ПОЧТА

21
22
17
23
25

18
20
19
27
24
26
28

СЕ́ЛЬСКИЙ ДОМ. УСА́ДЬБА КОЛХО́ЗНИКА

1 се́льский дом
2 вера́нда
3 крыльцо́
4 ста́вни, *ед* ста́вень
5 нали́чники, *ед.* нали́чник
6 труба́
7 анте́нна
8 се́ни
9 чула́н
10 по́дпол
11 черда́к
12 печь
13 заслонка
14 дрова́
15 двор
16 скворе́чник
17 голубя́тня
18 уса́дьба
19 сад
20 огоро́д
21 палиса́дник
22 сара́й
23 амба́р
24 приуса́дебный уча́сток
25 ба́ня
26 гара́ж
27 по́греб
28 коло́дец
29 конура́
30 забо́р
31 воро́та
32 кали́тка
33 скаме́йка
34 ле́стница

СЕЛЬСКОХОЗЯ́ЙСТВЕННЫЕ ОРУ́ДИЯ

1 коса́
2 гра́бли *только мн.*
3 ви́лы *только мн.*
4 лопа́та
5 моты́га
6 топо́р
7 пила́
8 садо́вые но́жницы *только мн.*

Дополнительный список

коси́ть / скоси́ть
~ траву́
копа́ть / вскопа́ть
~ огоро́д
оку́чивать / оку́чить
~ карто́фель
пили́ть / распили́ть
~ дрова́
коло́ть / расколо́ть
~ дрова́

НА КОЛХО́ЗНОЙ ФЕ́РМЕ

1 ско́тный двор
2 коро́вник
3 сто́йло
4 я́сли
5 ско́тник
6 ско́тница
7 автокорму́шка
8 автопо́илка
9 электродо́ильный аппара́т / электродо́илка
10 доя́рка
11 коро́ва
12 коню́шня
13 ло́шадь
14 ко́нюх

Дополнительный список

скот
  кру́пный рога́тый скот
  моло́чный скот
  мясно́й скот
  молодня́к
  корм
  загота́вливать / загото́вить корма́
до́йка / дое́ние
дава́ть / дать
  ~ корм
дои́ть / подои́ть
  ~ коро́ву
уха́живать *нсв*
  ~ за молодняко́м
  ~ за лошадьми́
запряга́ть / запря́чь
  ~ ло́шадь [в теле́гу]

НА КОЛХО́ЗНОМ ПО́ЛЕ

1 тра́ктор
2 трактори́ст
3 прице́пщик
4 плуг
5 борона́
6 борозда́
7 се́ялка
8 семена́ *мн.*

Дополнительный список

земля́
  колхо́зная земля́
  цели́нные зе́мли
сев
  сев зерновы́х
посе́вы
  ози́мые посе́вы
удобре́ния
  минера́льные удобре́ния
механиза́тор
полево́й, -а́я, -о́е, -ы́е
  полево́й стан
  полевы́е рабо́ты
паха́ть / вспаха́ть
  ~ зе́млю
борони́ть / взборони́ть
  ~ па́шню
се́ять / посе́ять
  ~ рожь
  ~ пшени́цу
поло́ть / пропо́ло́ть
  ~ морко́вь
  ~ свёклу

НА УБО́РКЕ УРОЖА́Я

1 комба́йн
2 комба́йнер
3 грузови́к
4 пшени́ца
5 зерно́
6 соло́ма
7 скирд и скирда́

Дополнительный список

убо́рка
  убо́рка урожа́я
  убо́рка хлебо́в
коси́ть / скоси́ть
  ~ рожь
  ~ пшени́цу
  ~ овёс
собира́ть / собра́ть
  ~ урожа́й
убира́ть / убра́ть
  ~ урожа́й
молоти́ть / обмолоти́ть
  ~ зерно́

НА КОЛХО́ЗНОМ ЛУГУ́

1 трава́
2 тра́ктор
3 сенокоси́лка
4 гра́бли *только мн.*
5 се́но
6 копна́
7 стог

Дополнительный список

луг
  заливны́е луга́
сеноко́с
си́лос
сгреба́ть / сгрести́
  ~ се́но [в ко́пны]

15. ШКО́ЛА

В ШКО́ЛЕ

1 зда́ние шко́лы
2 шко́льный двор
3 спорти́вная площа́дка
4 вестибю́ль
5 гардеро́б
6 коридо́р
7 класс
8 дежу́рная *сущ.*

В КЛА́ССЕ

1 стол
2 стул
3 доска́
4 мел
5 гу́бка
6 шкаф
7 ка́рта
8 ука́зка
9 гло́бус
10 портре́т
11 табли́ца

Дополнительный список

звоно́к
вызыва́ть / вы́звать
  ~ к доске́
отвеча́ть
  ~ у доски́
писа́ть / написа́ть
  ~ на доске́ [ме́лом]
  ~ в тетра́ди
стира́ть / стере́ть
  ~ с доски́

УЧЕ́БНЫЕ ПРИНАДЛЕ́ЖНОСТИ И ШКО́ЛЬНАЯ ФО́РМА

1 **портфе́ль**
2 **ра́нец**
3 **су́мка**
4 **тетра́дь**
5 **дневни́к**
6 **уче́бник**
7 **пена́л**
8 **автору́чка**
9 **черни́ла** *только мн.*
10 **ша́риковая ру́чка**
11 **просто́й каранда́ш**
12 **цветны́е карандаши́** *обычно мн.*
13 **точи́лка для карандаше́й**
14 **рези́нка**
15 **флома́стер**
16 **акваре́льные кра́ски,** *ед.* **акваре́льная кра́ска**
17 **альбо́м для рисова́ния**
18 **ки́сточка**
19 **лине́йка**
20 **уго́льник**
21 **готова́льня**
22 **ци́ркуль**
23 **транспорти́р**
24 **микрокалькуля́тор**
25 **шко́льная фо́рма**

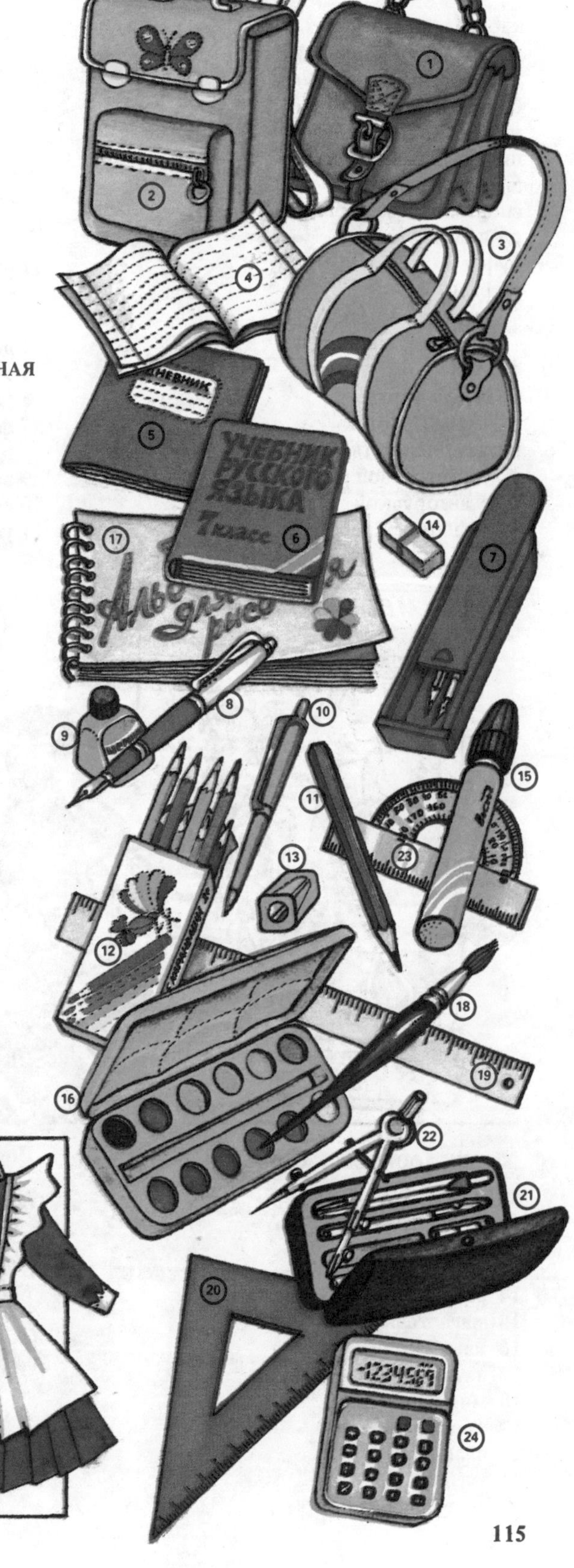

Дополнительный список

кабине́т дире́ктора
учи́тельская *сущ.*
кабине́т врача́
библиоте́ка
уче́бный кабине́т
пионе́рская ко́мната
а́ктовый зал
спорти́вный зал / спортза́л
столо́вая *сущ.*
буфе́т
тетра́дь
  тетра́дь в кле́тку
  тетра́дь в лине́йку
фа́ртук
  бе́лый фа́ртук
  чёрный фа́ртук
писа́ть / написа́ть
  ~ ша́риковой ру́чкой
  ~ автору́чкой
  ~ флома́стером
рисова́ть / нарисова́ть
  ~ карандашо́м
  ~ кра́сками
носи́ть *нсв*
  ~ шко́льную фо́рму

НА УРО́КЕ

НА УРО́КЕ РУ́ССКОГО ЯЗЫКА́

1 учи́тельница
2 ученики́, *ед.* учени́к, учени́ца
3 табли́ца
4 репроду́кция
5 эпидиаско́п
6 диапозити́в / слайд
7 фильмоско́п
8 диафи́льм
9 экра́н
10 слова́рь
11 уче́бник ру́сского языка́

В ЛИНГАФО́ННОМ КАБИНЕ́ТЕ

12 учи́тельница
13 учени́к
14 рабо́чее ме́сто
15 магнитофо́н
16 кассе́та
17 нау́шники, *ед.* нау́шник
18 микрофо́н
19 прои́грыватель
20 пласти́нка
21 уче́бник
22 слова́рь

Дополнительный список

учи́тель
кабине́т
  кабине́т ру́сского языка́
  лингафо́нный кабине́т
  занима́ться в кабине́те ру́сского языка́
  занима́ться в лингафо́нном кабине́те
  проводи́ть / провести́ уро́ки ру́сского (иностра́нного) языка́ в лингафо́нном кабине́те
язы́к
  ру́сский язы́к
  иностра́нный язы́к

- англи́йский язы́к
- неме́цкий язы́к
- францу́зский язы́к

речь
- ру́сская речь
- у́стная речь
- пи́сьменная речь
- разви́тие ре́чи

алфави́т

бу́ква

звук

произноше́ние
- пра́вильное произноше́ние
- рабо́тать над произноше́нием

акце́нт
- иностра́нный акце́нт

переводи́ть / перевести́
- ~ текст с ру́сского языка́ на родно́й язы́к

перево́д
- то́чный перево́д
- перево́д те́кста

по́льзоваться *нсв*
- ~ словарём

разбира́ть / разобра́ть
- ~ сло́во
- ~ предложе́ние

сло́во
- учи́ть / вы́учить слова́

предложе́ние
- составля́ть / соста́вить предложе́ние

текст
- переска́зывать / пересказа́ть текст

диало́г
- составля́ть / соста́вить диало́г

расска́з
- содержа́ние расска́за
- передава́ть / переда́ть содержа́ние расска́за

писа́ть / написа́ть
- ~ ди́ктант
- ~ сочине́ние

вопро́с
- отвеча́ть / отве́тить на вопро́с

отве́т
- хоро́ший отве́т
- плохо́й отве́т

упражне́ние
- у́стное упражне́ние
- пи́сьменное упражне́ние
- де́лать / сде́лать упражне́ние
- выполня́ть / вы́полнить упражне́ние

зада́ние
- дома́шнее зада́ние / зада́ние на́ дом
- выполня́ть / вы́полнить дома́шнее зада́ние
- де́лать / сде́лать дома́шнее зада́ние

проверя́ть / прове́рить
- ~ сочине́ние

ситуа́ция
- речева́я ситуа́ция

рабо́та
- кла́ссная рабо́та
- дома́шняя рабо́та

диктова́ть / продиктова́ть
- ~ слова́
- ~ предложе́ние
- ~ текст

объясня́ть / объясни́ть
- ~ но́вый материа́л

а́тлас
- географи́ческий а́тлас
- а́тлас ми́ра

уче́бник
уче́бник ру́сского языка́
уче́бник исто́рии
чита́ть / прочита́ть
~ предложе́ние
~ текст
спи́сывать / списа́ть
~ с доски́
подчёркивать / подчеркну́ть
~ слова́
пока́зывать / показа́ть
~ видеофи́льм
~ диапозити́вы
~ уче́бный фильм
~ диафи́льм
включа́ть / включи́ть
~ видеомагнитофо́н
~ компью́тер
~ магнитофо́н
~ прои́грыватель

НА УРО́КЕ ХИ́МИИ (ФИ́ЗИКИ)

В КАБИНЕ́ТЕ ХИ́МИИ (ФИ́ЗИКИ)

1 табли́ца Периоди́ческой систе́мы элеме́нтов Д. И. Менделе́ева
2 лаборато́рный стол
3 ко́лба
4 штати́в
5 мензу́рка
6 проби́рка
7 воро́нка
8 горе́лка
9 шкаф
10 моде́ль а́тома
11 микроско́п
12 магни́т
13 ампермéтр
14 вольтмéтр
15 реоста́т

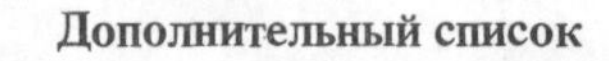

Дополнительный список

о́пыт
ста́вить / поста́вить о́пыт
проводи́ть / провести́ о́пыт
реа́кция
хими́ческая реа́кция
прибо́р
физи́ческие прибо́ры
вещество́
строе́ние вещества́

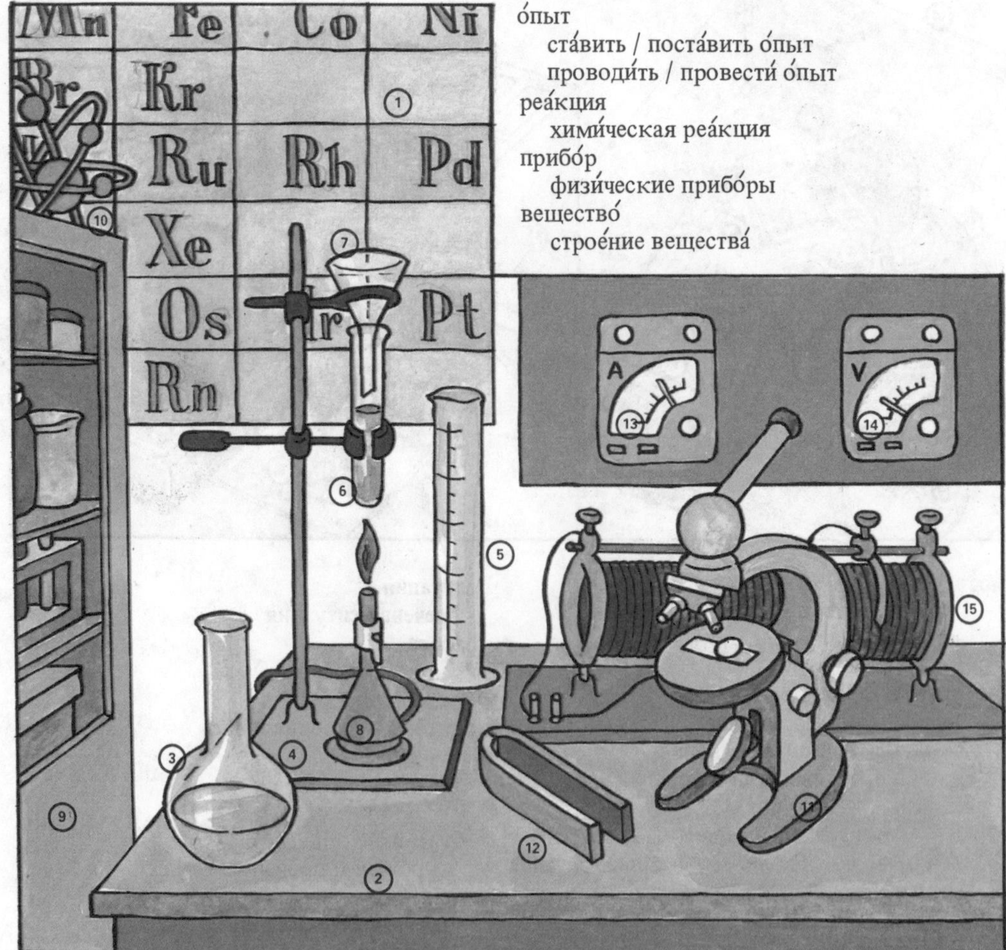

НА УРО́КЕ ТРУДА́

В СТОЛЯ́РНОЙ МАСТЕРСКО́Й

1 верста́к
2 руба́нок
3 фуга́нок
4 пила́
5 стаме́ска
6 кия́нка
7 гвоздь
8 шуру́п
9 кле́щи *только мн.*
10 клей

В СЛЕСА́РНОЙ МАСТЕРСКО́Й

1 тиски́ *только мн.*
2 напи́льник
3 сверло́
4 молото́к
5 зуби́ло
6 винт
7 га́йка
8 га́ечный ключ
9 отвёртка
10 плоскогу́бцы *только мн.*
11 куса́чки *только мн.*
12 про́волока

Дополнительный список

мастерска́я
  уче́бная мастерска́я
инструме́нт
  столя́рный инструме́нт
  слеса́рный инструме́нт
строга́ть *нсв*
  ~ руба́нком
  ~ фуга́нком
выпи́ливать / вы́пилить
  ~ дета́ль

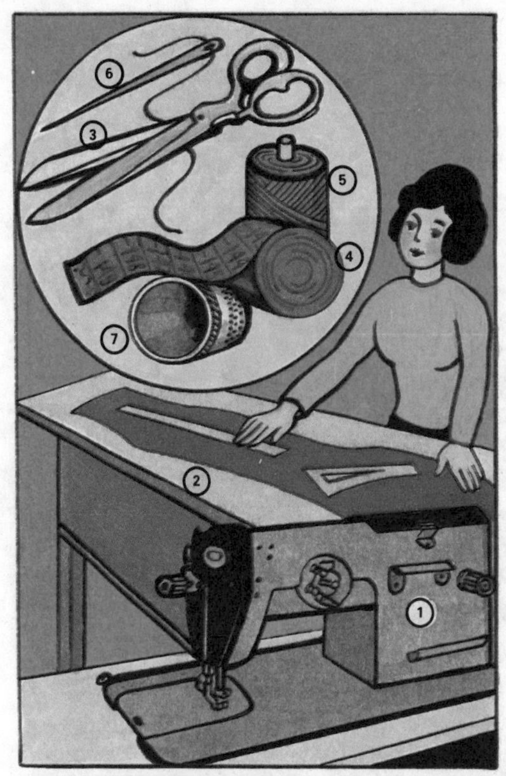

В ШВЕ́ЙНОЙ МАСТЕРСКО́Й

1 шве́йная маши́на
2 стол для раскро́я тка́ни
3 но́жницы *только мн.*
4 сантиме́тр
5 ни́тки, *ед.* **ни́тка**
6 иго́лка
7 напёрсток

Дополнительный список

домово́дство
 уро́к домово́дства
вяза́ние
 учи́ться вяза́нию
 занима́ться вяза́нием
шитьё
 кружо́к кро́йки и шитья́
снима́ть / снять
 ~ ме́рку
крои́ть / скрои́ть
 ~ пла́тье
ме́рить / приме́рить
 ~ ю́бку
шить / сшить
 ~ фа́ртук

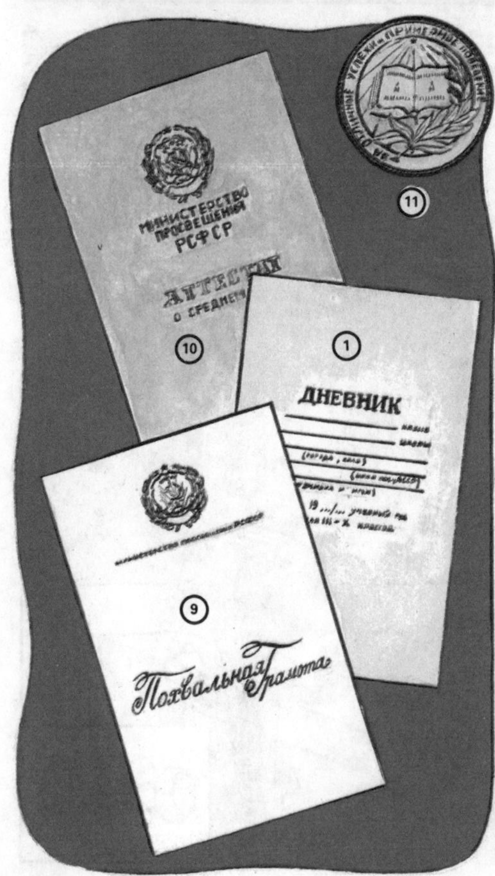

ОЦЕ́НКА ЗНА́НИЙ И ПОВЕДЕ́НИЯ УЧА́ЩИХСЯ

1 дневни́к
2 пять / пятёрка
3 четы́ре / четвёрка
4 три / тро́йка
5 два / дво́йка
6 едини́ца / *разг.* **кол**
7 журна́л / кла́ссный журна́л
8 спи́сок уча́щихся
9 похва́льная гра́мота
10 аттеста́т зре́лости
11 золота́я меда́ль

Дополнительный список

оце́нка / отме́тка
 отли́чная оце́нка / отме́тка
 хоро́шая оце́нка / отме́тка
 плоха́я оце́нка / отме́тка
 оце́нка / отме́тка за отве́т
 ста́вить / поста́вить оце́нку (отме́тку)
 получа́ть / получи́ть отли́чную оце́нку

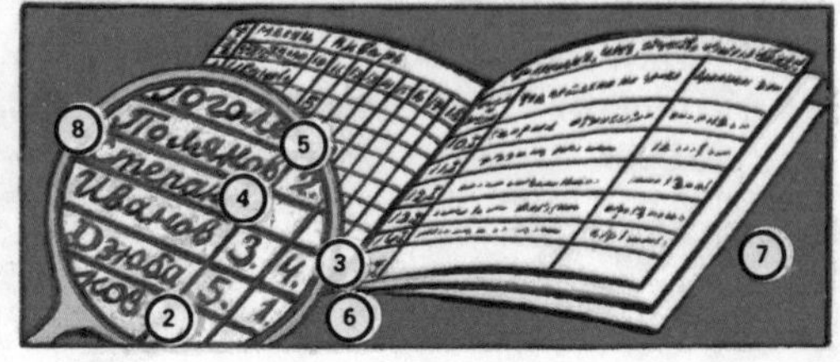

(отме́тку)

успева́ть *нсв*

~ по всем предме́там

успева́емость

высо́кая успева́емость

ни́зкая успева́емость

повыша́ть / повы́сить успева́емость

отли́чник

отли́чница

медали́ст

медали́стка

экза́мен

выпускны́е экза́мены

экза́мены на аттеста́т зре́лости

гото́виться / подгото́виться к экза́мену

сдава́ть / сдать экза́мен

биле́т

экзаменацио́нный биле́т

повторя́ть / повтори́ть биле́ты

брать / взять биле́т

отвеча́ть / отве́тить по биле́ту

экзамена́тор

отвеча́ть / отве́тить на вопро́сы экзамена́тора

контро́льный, -ая, -ое, -ые

контро́льная рабо́та

писа́ть / написа́ть контро́льную рабо́ту

прилежа́ние

поведе́ние

приме́рное поведе́ние

дисципли́на

хоро́шая (плоха́я) дисципли́на [на уро́ке]

дисциплини́рованный, -ая, -ое, -ые

пра́вила поведе́ния [уча́щихся]

ВНЕКЛА́ССНАЯ И ВНЕШКО́ЛЬНАЯ РАБО́ТА

В КРУЖКЕ́ Ю́НОГО ТЕ́ХНИКА

1 авиамодели́ст
2 моде́ль самолёта
3 судомодели́ст
4 моде́ль корабля́
5 автомодели́ст
6 моде́ль автомоби́ля
7 ю́ный радиоте́хник
8 радиосхе́ма
9 электропа́яльник

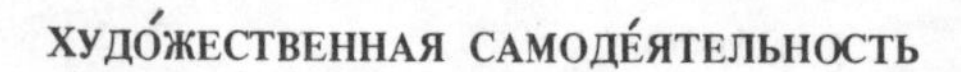

ХУДО́ЖЕСТВЕННАЯ САМОДЕ́ЯТЕЛЬНОСТЬ

1 шко́льный хор
2 танцева́льный анса́мбль
3 орке́стр наро́дных инструме́нтов

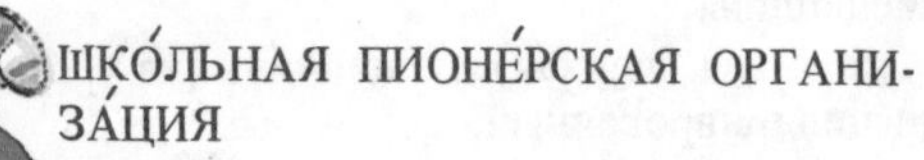

ШКО́ЛЬНАЯ ПИОНЕ́РСКАЯ ОРГАНИЗА́ЦИЯ

ПРИЁМ В ПИОНЕ́РЫ

1 октябрёнок, *мн.* октября́та
2 октября́тская звёздочка
3 пионе́р
4 пионе́рка
5 пионе́рский га́лстук
6 пионе́рский значо́к
7 пионервожа́тая
8 пионе́рское зна́мя
9 знамено́сец
10 го́рн
11 горни́ст
12 бараба́н
13 бараба́нщик

Дополнительный список

Всесою́зная пионе́рская организа́ция им. В. И. Ле́нина
торже́ственное обеща́ние
дава́ть / дать торже́ственное обеща́ние

председа́тель сове́та отря́да
председа́тель сове́та дружи́ны
вожа́тый [отря́да]
пионе́рский, -ая, -ое, -ие
  пионе́рский отря́д
  пионе́рское звено́
  пионе́рская дружи́на
  пионе́рская организа́ция
  пионе́рский сбор
  пионе́рская лине́йка
  пионе́рский ла́герь
  пионе́рский костёр
  пионе́рская фо́рма
принима́ть / приня́ть
  ~ в пионе́ры
вступа́ть / вступи́ть
  ~ в пионе́ры
стать *св*
  ~ пионе́ром

ВО ДВОРЦЕ́ ПИОНЕ́РОВ

1 анса́мбль пе́сни и пля́ски
2 бале́тная сту́дия
3 драмкружо́к
4 компьютерный класс
5 изосту́дия
6 кружо́к худо́жественной гимна́стики
7 ша́хматный кружо́к
8 радиотехни́ческий кружо́к
9 авиамоде́льный кружо́к
10 судомоде́льный кружо́к
11 фотокружо́к

1

2

3

4

5 6

7

8

11

9 10

Дополнительный список

вы́ставка
    вы́ставка де́тских рабо́т
клуб
    клуб ю́ных те́хников
    клуб интернациона́льной дру́жбы
    клуб кра́сных следопы́тов
се́кция
    спорти́вная се́кция
    волейбо́льная се́кция
    се́кция пла́вания
слёт
    пионе́рский слёт
    слёт ю́ных пионе́ров
запи́сываться / записа́ться
    ~ в кружо́к
    ~ в се́кцию
занима́ться *нсв*
    ~ в кружке́
    ~ в клу́бе ю́ных те́хников
    ~ в волейбо́льной се́кции

Общий дополнительный список к теме „Шко́ла"

образова́ние
    сре́днее образова́ние
шко́ла
    нача́льная шко́ла
    сре́дняя шко́ла
    шко́ла-интерна́т
    учи́ться *нсв* в шко́ле
    ко́нчить / око́нчить шко́лу
дире́ктор
    дире́ктор шко́лы
педагоги́ческий сове́т / педсове́т
кла́ссный руководи́тель
воспита́тель
уча́щиеся, *ед.* уча́щийся
шко́льник
шко́льница
первокла́ссник
первокла́ссница
старшекла́ссник
старшекла́ссница
выпускни́к
выпускни́ца
ста́роста кла́сса
уче́бный год
    нача́ло уче́бного го́да
    коне́ц уче́бного го́да
полуго́дие
    пе́рвое (второ́е) полуго́дие
че́тверть
    уче́бная че́тверть
    пе́рвая (втора́я, тре́тья, четвёртая) че́тверть
кани́кулы
    зи́мние (весе́нние, ле́тние) кани́кулы
сме́на
    пе́рвая (втора́я) сме́на
    учи́ться в пе́рвую (втору́ю) сме́ну
переме́на
    ма́ленькая (больша́я) переме́на
    выходи́ть / вы́йти на переме́ну
уро́к
    пе́рвый (второ́й, тре́тий, четвёртый, пя́тый, шесто́й) уро́к
    расписа́ние уро́ков
звоно́к
    после́дний звоно́к
    звоно́к на уро́к
    звоно́к с уро́ка
план / уче́бный план
програ́мма / уче́бная програ́мма
предме́т / уче́бный предме́т
ру́сский язы́к
ру́сская литерату́ра
родно́й язы́к
родна́я литерату́ра
иностра́нный язы́к
исто́рия
обществове́дение
осно́вы информа́тики и вычисли́тельной те́хники
матема́тика, (а́лгебра, геоме́трия, тригономе́трия)
фи́зика
хи́мия
природове́дение
бота́ника
зооло́гия
биоло́гия
астроно́мия
геогра́фия
черче́ние
рисова́ние
физкульту́ра
труд
пе́ние
ри́тмика
заня́тие
    факультати́вное заня́тие
зна́ния
    глубо́кие зна́ния
знать
    ~ табли́цу умноже́ния
    ~ ру́сский язы́к и литерату́ру
    ~ иностра́нный язы́к
олимпиа́да
    шко́льная (райо́нная, городска́я) олимпиа́да
    математи́ческая олимпиа́да
    олимпиа́да по ру́сскому языку́
    уча́ствовать в олимпиа́де
ве́чер
    выпускно́й ве́чер
    литерату́рный ве́чер

вéчер встрéчи с передовикáми произ-вóдства
ýтренник
сбор
пионéрский сбор
линéйка
пионéрская линéйка
торжéственная линéйка
собрáние
клáссное собрáние
комсомóльское собрáние
прáктика
производственная прáктика
суббóтник
собирáть / собрáть
~ металлолóм
~ макулатýру
~ лекáрственные трáвы
убирáть / убрáть
~ класс
шéфство
шéфство над октябрятами
брать / взять шéфство
стенгазéта / стеннáя газéта
шкóльная стенгазéта
выпускáть / вы́пустить стенгазéту
шкóльный, -ая, -ое, -ые
шкóльный акти́в
шкóльный товáрищ
шкóльная подрýга
шкóльные друзья́
спорти́вный, -ая, -ое, -ые
спорти́вная сéкция
спорти́вные соревновáния
убóрка
убóрка клáсса
ремóнт
ремóнт шкóлы
учи́ться *нсв*
~ в шкóле
~ на отли́чно
учи́ть / вы́учить
~ урóки
~ стихи́
преподавáть *нсв*
~ матемáтику
~ литератýру
дежýрить
~ в клáссе
~ в шкóле

шéфствовать
~ над шкóлой
ремонти́ровать
~ шкóлу

16. КНИ́ГА. БИБЛИОТÉКА

В ЧИТÁЛЬНОМ ЗÁЛЕ

1 библиотéкарь
2 читáтель
3 читáтельница
4 стеллáж для книг
5 кни́жная пóлка
6 шкаф
7 стол
8 настóльная лáмпа
9 трéбование
10 кни́га
11 газéта
12 журнáл
13 подши́вка газéт
14 стенд
15 вы́ставка книг

Дополнительный список

чита́тельский, -ая, -ое, -ие
 чита́тельский формуля́р
 чита́тельский биле́т
кни́жный, -ая, -ое, -ые
 кни́жный стенд
 кни́жная вы́ставка
 кни́жный шкаф
 кни́жная по́лка
запи́сываться / записа́ться
 ~ в библиоте́ку
занима́ться *нсв*
 ~ в библиоте́ке
 ~ в чита́льном за́ле
просма́тривать / просмотре́ть
 ~ газе́ты
 ~ журна́лы
 ~ подши́вку газе́т

В БИБЛИОГРАФИ́ЧЕСКОМ ОТДЕ́ЛЕ

1 библио́граф
2 катало́г
3 катало́жный я́щик
4 катало́жная ка́рточка
5 картоте́ка

Дополнительный список

литерату́ра
 худо́жественная литерату́ра
 уче́бная литерату́ра
 спра́вочная литерату́ра
кни́га
 интере́сная кни́га
 кни́га с карти́нками
 кни́га стихо́в
изда́ние
 пе́рвое изда́ние
 ме́сто изда́ния
 год изда́ния
шифр [кни́ги]
назва́ние [кни́ги]
а́втор [кни́ги]
писа́тель
поэ́т
переплёт
обло́жка
страни́ца
строка́
оглавле́ние
книгохрани́лище
сбо́рник
 сбо́рник ру́сских наро́дных ска́зок
 сбо́рник стате́й
ру́копись
собра́ние сочине́ний
 по́лное собра́ние сочине́ний
том
 пе́рвый том
брошю́ра
экземпля́р
иллюстра́ция
 кни́га с иллюстра́циями
содержа́ние
 содержа́ние рома́на (по́вести, расска́за, о́черка, поэ́мы)
алфави́тный, -ая, -ое, -ые
 алфави́тный катало́г
 алфави́тный указа́тель
зака́зывать / заказа́ть
 ~ кни́гу
выдава́ть / вы́дать
 ~ литерату́ру
 ~ журна́лы
 ~ кни́ги
 ~ газе́ты
получа́ть / получи́ть
 ~ литерату́ру
 ~ кни́ги
 ~ журна́лы
 ~ газе́ты
сдава́ть / сдать
 ~ литерату́ру
 ~ кни́ги

17. РА́ДИО. ТЕЛЕВИ́ДЕНИЕ

У РАДИОПРИЁМНИКА

1 приёмник / радиоприёмник
2 транзи́стор
3 анте́нна
4 нау́шники, *ед.* **нау́шник**
5 батаре́йка

Дополнительный список

радиовеща́ние
переда́ча / радиопереда́ча
    музыка́льная переда́ча
    литерату́рная переда́ча
    переда́ча для дете́й
радиопостано́вка
радиокомпози́ция
во́лны / радиово́лны, *ед.* волна́ / радиоволна́
    дли́нные во́лны
    сре́дние во́лны
    коро́ткие во́лны
програ́мма
    пе́рвая (втора́я) програ́мма
    програ́мма радиопереда́ч
трансля́ция
    трансля́ция футбо́льного ма́тча (хокке́я)
радиослу́шатель
ди́ктор
    ди́ктор ра́дио
радиоста́нция
радиосе́ть
включа́ть / включи́ть
    ~ ра́дио / приёмник / радиоприёмник
    ~ транзи́стор
    ~ пе́рвую (втору́ю) програ́мму
выключа́ть / вы́ключить
    ~ ра́дио / приёмник / радиоприёмник
    ~ транзи́стор
    ~ пе́рвую (втору́ю) програ́мму
настра́ивать / настро́ить
    ~ приёмник / радиоприёмник
слу́шать
    ~ ра́дио
    ~ переда́чу
передава́ть
    ~ конце́рт
    ~ спекта́кль
трансли́ровать
    ~ конце́рт

У ТЕЛЕВИ́ЗОРА

1 телеви́зор
2 экра́н
3 анте́нна
4 переключа́тель кана́лов
5 подста́вка для телеви́зора

Дополнительный список

телеви́дение
- цветно́е телеви́дение

телеви́зор
- цветно́й (чёрно-бе́лый) телеви́зор
- сиде́ть у телеви́зора
- включа́ть / включи́ть телеви́зор
- выключа́ть / вы́ключить телеви́зор

видеомагнитофо́н

видеокассе́та

переда́ча / телепереда́ча
- спорти́вная переда́ча
- переда́ча „Но́вости"
- переда́ча для шко́льников

телемо́ст

телевизио́нный фильм / телефи́льм

телевизио́нный спекта́кль / телеспекта́кль

телезри́тель

програ́мма
- телевизио́нная програ́мма / телепрогра́мма
- пе́рвая (втора́я) програ́мма
- програ́мма телепереда́ч

кана́л
- пе́рвый (второ́й, тре́тий, ..., двена́дцатый) кана́л

звук
- уси́ливать / уси́лить звук

гро́мкость
- уменьша́ть / уме́ньшить гро́мкость

изображе́ние
- чёткое изображе́ние
- изображе́ние на экра́не

я́ркость
- я́ркость изображе́ния

контра́стность / ре́зкость
- уменьша́ть / уме́ньшить контра́стность [изображе́ния]

ди́ктор
- ди́ктор телеви́дения

телеце́нтр / телевизио́нный центр

телеба́шня / телевизио́нная ба́шня

телеателье́ / телевизио́нное ателье́

пока́зывать / показа́ть
- ~ конце́рт
- ~ фильм

смотре́ть *нсв*
- ~ телепереда́чу / *разг.* телеви́зор
- ~ телефи́льм
- ~ видеокли́п
- ~ видеофи́льм

переключа́ть / переключи́ть
- ~ на втору́ю програ́мму
- ~ на пе́рвый кана́л

18. МУЗЕ́Й. ВЫСТА́ВКА

В МУЗЕ́Е

1 дом-музе́й
2 зал
3 сотру́дник музе́я
4 стенд
5 витри́на
6 экспона́т
7 экску́рсия
8 экскурсово́д

НА ВЫ́СТАВКЕ

1 павильо́н
2 вы́ставочный зал
3 экспона́т
4 посети́тель

Дополнительный список

культу́ра
  национа́льная культу́ра
музе́й
  истори́ческий музе́й
  краеве́дческий музе́й
  музе́й писа́теля
быть, быва́ть в музе́е
па́мятник
  па́мятник старины́
  па́мятник культу́ры
произведе́ние иску́сства
фотогра́фия / сни́мок
ко́пия
  ко́пия карти́ны
репроду́кция
посеща́ть / посети́ть
  ~ музе́й
осма́тривать / осмотре́ть
  ~ вы́ставку

19. ИЗОБРАЗИ́ТЕЛЬНОЕ ИСКУ́ССТВО

В КАРТИ́ННОЙ ГАЛЕРЕ́Е. НА ВЫ́СТАВКЕ КАРТИ́Н

1 карти́на
2 портре́т
3 пейза́ж
4 натюрмо́рт
5 эста́мп
6 ра́ма
7 скульпту́ра
8 бюст

Дополнительный список

Госуда́рственная Третьяко́вская галере́я
Музе́й изобрази́тельных иску́сств им. А. С. Пу́шкина
жи́вопись
станко́вая жи́вопись
монумента́льная жи́вопись
реалисти́ческая жи́вопись
абстра́ктная жи́вопись
занима́ться *нсв* жи́вописью
разбира́ться *нсв* в жи́вописи
карти́на
больша́я карти́на
рассма́тривать / рассмотре́ть карти́ну
гра́фика
рису́нок
гравю́ра
панора́ма
колори́т [карти́ны]
све́тлый (тёмный) колори́т
га́мма
цветова́я га́мма
га́мма кра́сок
кра́ски, *ед.* кра́ска
я́ркие (бле́дные) кра́ски
сочета́ние кра́сок
ма́сляные кра́ски
акваре́льные кра́ски
акваре́ль
гуа́шь
пасте́ль
свет
цвет
я́ркие цвета́
тон
тёплые (холо́дные) тона́
све́тлые (тёмные) тона́
я́ркие тона́
компози́ция
компози́ция карти́ны
те́ма
сюже́т
истори́ческий сюже́т
фон
тёмный фон
план
пере́дний (за́дний) план
писа́ть / написа́ть
~ ма́слом
~ гуа́шью
~ пасте́лью
рисова́ть / нарисова́ть
~ с нату́ры

В МАСТЕРСКО́Й ХУДО́ЖНИКА

1 худо́жник
2 блу́за
3 мольбе́рт
4 холст
5 пали́тра
6 кра́ски, *ед.* кра́ска
7 кисть
8 этю́д
9 нату́рщица

Дополнительный список

батали́ст
портрети́ст
пейзажи́ст
марини́ст
анимали́ст
гра́фик
декора́тор
ску́льптор

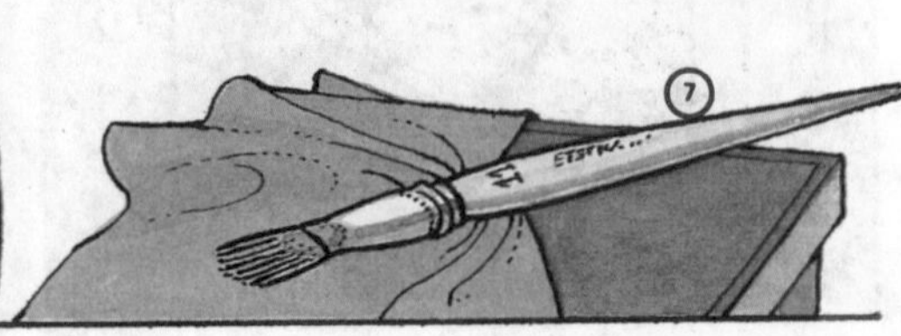

20. МУ́ЗЫКА

НА КОНЦЕ́РТЕ

1 хор
2 певи́ца
3 микрофо́н
4 балала́йка
5 балала́ечник
6 бая́н
7 баяни́ст
8 гармо́нь
9 гармони́ст
10 аккордео́н
11 аккордеони́ст

12 сце́на
13 певе́ц
14 роя́ль
15 пиани́стка
16 орке́стр
17 дирижёр
18 дирижёрская па́лочка
19 пюпи́тр
20 но́ты
21 гита́ра
22 гитари́ст
23 скри́пка
24 скрипа́ч
25 струна́
26 смычо́к
27 виолонче́ль
28 виолончели́ст
29 контраба́с
30 труба́
31 труба́ч
32 саксофо́н
33 саксофони́ст
34 орга́н
35 органи́ст
36 бараба́н
37 таре́лки, *ед.* **таре́лка**
38 уда́рник

16
12
34
35
36
30
31
29
26
24
23
25
28
13
20
27

Дополнительный список

му́зыка
инструмента́льная му́зыка
симфони́ческая му́зыка
ка́мерная му́зыка
лёгкая му́зыка
джа́зовая му́зыка
танцева́льная му́зыка
слу́шать *нсв* му́зыку
сочиня́ть / сочини́ть му́зыку
компози́тор
изве́стный компози́тор
конце́рт
симфони́ческий конце́рт
эстра́дный конце́рт
конце́рт пе́сни
пойти́ на конце́рт
слу́шать *нсв* конце́рт
консервато́рия
програ́мма [конце́рта]
вести́ програ́мму [конце́рта]
веду́щий *сущ.*
конферансье́ *нескл. м.*
пе́сня
исполня́ть / испо́лнить пе́сню
та́нец
наро́дный та́нец
ба́льный та́нец
исполня́ть / испо́лнить та́нец
моти́в
моти́в пе́сни
мело́дия
знако́мая мело́дия
популя́рная мело́дия
танцева́льная мело́дия
но́та
высо́кая но́та
брать / взять высо́кую но́ту
такт
отбива́ть / отби́ть такт
ритм
бы́стрый ритм
совреме́нные ри́тмы
анса́мбль
инструмента́льный анса́мбль
танцева́льный анса́мбль
анса́мбль пе́сни и пля́ски
анса́мбль наро́дных инструме́нтов
вока́льно-инструмента́льный анса́мбль
арти́ст
эстра́да
арти́ст эстра́ды
микрофо́н
джаз
исполни́тель
исполни́тельница
исполни́тельница наро́дных пе́сен

дуэ́т
три́о
кварте́т
музыка́нт
соли́ст
соли́ст хо́ра (анса́мбля, бале́та)
соли́стка
соли́стка хо́ра (анса́мбля, бале́та)
аккомпаниа́тор
инструме́нт
уда́рные инструме́нты
фле́йта
флейти́ст
тромбо́н
валто́рна
валторни́ст
альт
альти́ст
фортепья́но / пиани́но
мандоли́на
электрогита́ра
электроорга́н
пласти́нка
музыка́льный, -ая, -ое, -ые
музыка́льные инструме́нты
музыка́льное образова́ние
конце́ртный, -ая, -ое, -ые
конце́ртный зал
выходи́ть / вы́йти
~ на сце́ну
выступа́ть / вы́ступить
~ на сце́не
аккомпани́ровать *нсв*
~ на роя́ле
~ на гита́ре
исполня́ть / испо́лнить
~ симфо́нию
~ пе́сню
дирижи́ровать *нсв*
~ орке́стром
~ хо́ром
игра́ть / сыгра́ть
~ на роя́ле
~ на скри́пке
~ по но́там
петь / спеть
~ а́рию
~ пе́сню
танцева́ть / станцева́ть
~ вальс
~ по́льку
~ та́нго
пляса́ть / спляса́ть
~ ру́сскую
~ цыга́ночку

21. ТЕА́ТР

В ЗДА́НИИ ТЕА́ТРА

1 теа́тр
2 афи́ша
3 ка́сса
4 биле́т
5 вестибю́ль
6 гардеро́б / *разг.* ве́шалка
7 гардеро́бщица
8 номеро́к
9 театра́льный бино́кль
10 билетёр
11 програ́ммка
12 фойе́
13 артисти́ческая *сущ.*
14 буфе́т

В ЗРИ́ТЕЛЬНОМ ЗА́ЛЕ

1 сце́на
2 авансце́на
3 декора́ция
4 арти́сты, *ед.* арти́ст
5 кули́са

6 за́навес
7 ра́мпа
8 оркестро́вая я́ма
9 орке́стр
10 дирижёр
11 музыка́нт
12 зри́тель
13 зри́тельный зал
14 парте́р
15 кре́сло
16 амфитеа́тр
17 бельэта́ж
18 ло́жа
19 балко́н
20 суфлёрская бу́дка

Дополнительный список

теа́тр
драмати́ческий теа́тр
о́перный теа́тр
музыка́льный теа́тр
теа́тр о́перы и бале́та
теа́тр опере́тты
теа́тр эстра́ды
теа́тр ку́кол
де́тский теа́тр
теа́тр ю́ного зри́теля (ТЮЗ)
пойти́ *св* в теа́тр
ходи́ть *нсв* в теа́тр
ряд
ме́сто в парте́ре (в ло́же, на балко́не)
пье́са
спекта́кль
ста́вить / поста́вить спекта́кль (пье́су, дра́му, коме́дию, о́перу, бале́т)
смотре́ть / посмотре́ть но́вый спек-та́кль, но́вую пье́су
дра́ма
коме́дия
о́пера
класси́ческая (совре́менная) о́пера
рок-о́пера
слу́шать *нсв* о́перу
петь *нсв* в о́пере
бале́т
класси́ческий (совре́менный) бале́т
смотре́ть / посмотре́ть бале́т
опере́тта
водеви́ль
премье́ра
премье́ра спекта́кля
пойти́ *св* на премье́ру
репертуа́р
репертуа́р теа́тра
сезо́н
театра́льный сезо́н
откры́тие театра́льного сезо́на
гастро́ли, *ед.* гастро́ль
гастро́ли теа́тра
гастро́ли арти́ста
либре́тто *нескл. ср.*
де́йствие / акт
пе́рвое де́йствие / пе́рвый акт
му́зыка
о́перная му́зыка
му́зыка из бале́та
му́зыка к спекта́клю
та́нец
та́нец из бале́та
а́рия
а́рия из о́перы
увертю́ра
звоно́к
пе́рвый (второ́й, тре́тий) звоно́к
арти́ст / актёр
арти́стка / актри́са
роль
гла́вная роль
исполня́ть / испо́лнить роль
танцо́вщик
танцо́вщица
балери́на
кордебале́т
режиссёр
гла́вный режиссёр теа́тра
режиссёр спекта́кля
помо́щник режиссёра
костю́м
грим
пари́к
игра́
игра́ актёра / арти́ста
репети́ция
генера́льная репети́ция
пу́блика
аплодисме́нты
бу́рные аплодисме́нты
ова́ция
устра́ивать / устро́ить ова́цию
бра́во
крича́ть *нсв* „бра́во"
бис
вызыва́ть / вы́звать арти́ста на бис
петь / спеть на бис
аплоди́ровать / *разг.* хло́пать
~ арти́стам
исполня́ть / испо́лнить
~ а́рию
~ та́нец
игра́ть / сыгра́ть
~ роль
выступа́ть / вы́ступить
~ перед зри́телями
репети́ровать *нсв*
~ пье́су
~ роль

22. ЦИРК

НА ЦИРКОВО́М ПРЕДСТАВЛЕ́НИИ

1 цирк
2 аре́на / мане́ж
3 барье́р
4 ку́пол
5 кана́т
6 кана́тная ле́стница
7 канатохо́дец
8 трапе́ция
9 бату́т
10 орке́стр
11 ковёр
12 кло́ун
13 акроба́т
14 акроба́тка
15 гимна́стка
16 жонглёр
17 нае́здница
18 дрессиро́вщик
19 дрессиро́ванный медве́дь

Дополнительный список

цирк
артист ци́рка

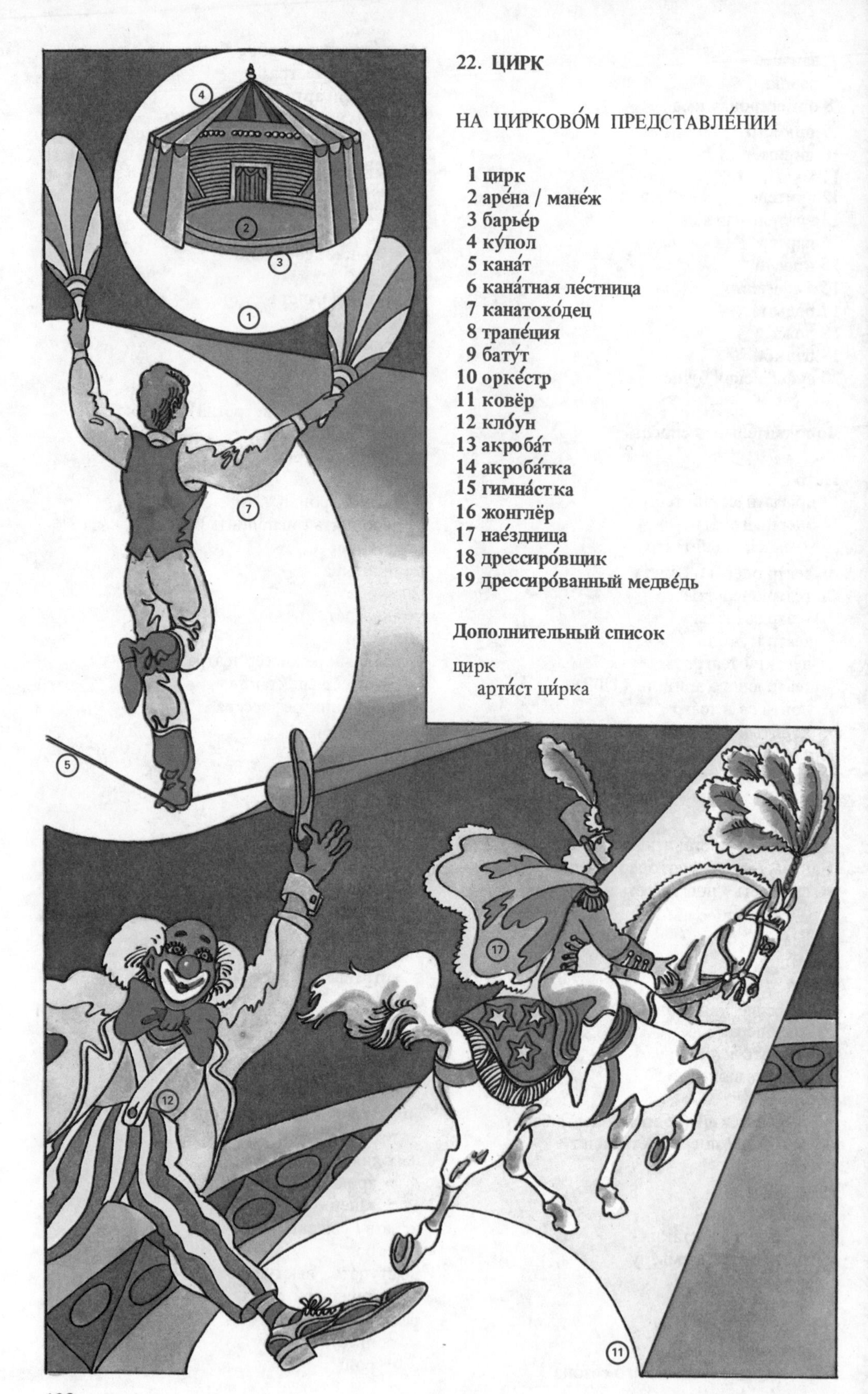

но́мер / цирково́й но́мер
    объявля́ть / объяви́ть сле́дующий но́мер
аттракцио́н
фо́кус
    пока́зывать / показа́ть фо́кусы
акроба́т
нае́здник
дрессиро́вщица
иллюзиони́ст / фо́кусник
эквилибри́ст
каскадёр
эксце́нтрик
    музыка́льные эксце́нтрики
подкидна́я доска́
    акроба́ты на подкидны́х до́сках
веду́щий *сущ.* [програ́ммы]
антра́кт
цирково́й, -а́я, -о́е, -ы́е
    цирково́й арти́ст
    цирково́е представле́ние
дрессиро́ванный, -ая, -ое, -ые
    дрессиро́ванные львы (ти́гры, слоны́, соба́чки)
выступа́ть / вы́ступить
    ~ на аре́не ци́рка
жонгли́ровать
    ~ булава́ми
    ~ шара́ми

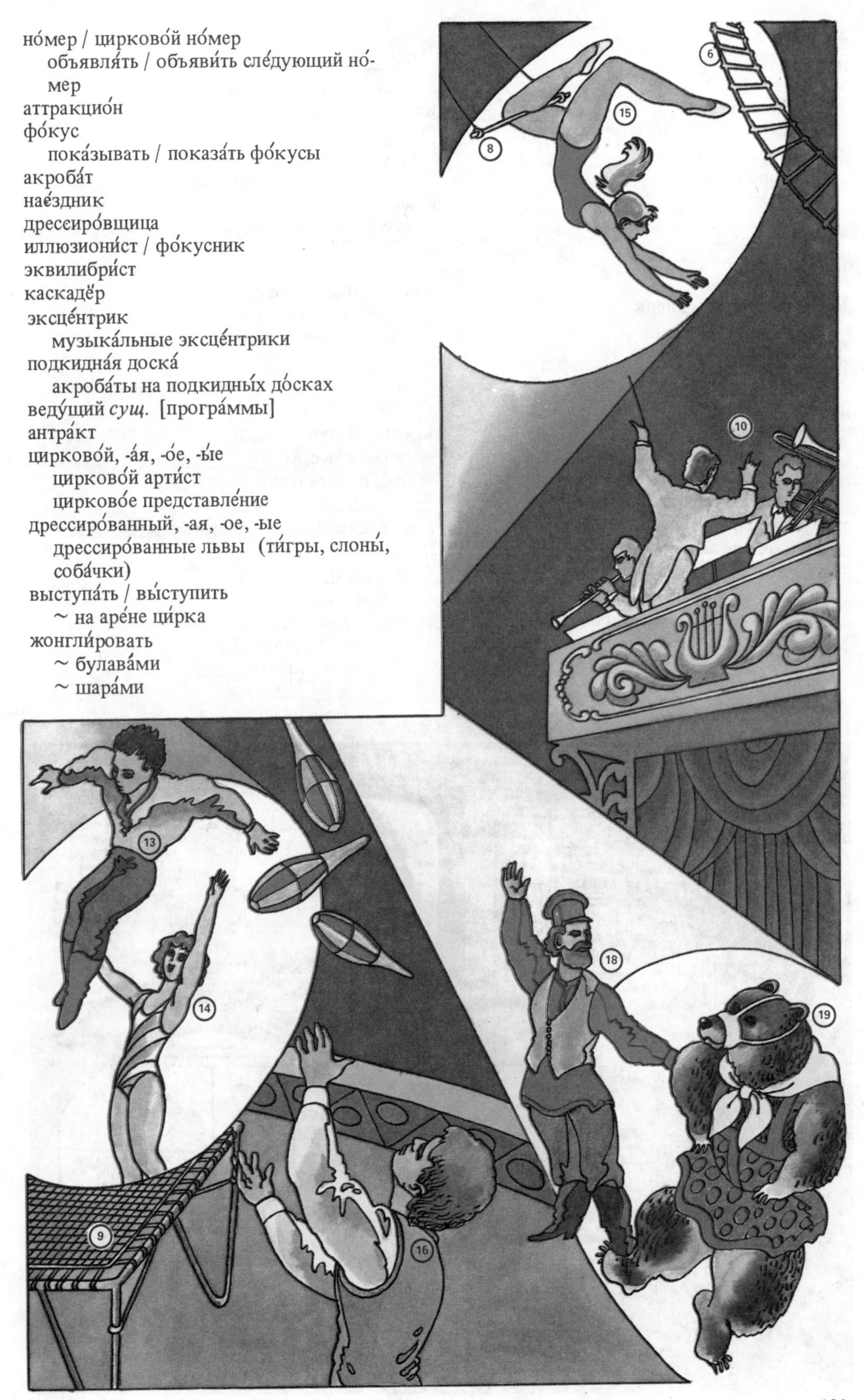

23. КИНО́

В КИНОТЕА́ТРЕ

1 зри́тельный зал
2 экра́н
3 кинопрое́кторская
4 кинопрое́ктор
5 ряд
6 ме́сто
7 зри́тель
8 билетёр

Дополнительный список

кино́ *нескл. ср.* / кинотеа́тр
  пойти́ *св* в кино́
  ходи́ть *нсв* в кино́
фильм / кинофи́льм
  худо́жественный фильм
  приключе́нческий фильм
  документа́льный фильм
  нау́чно-популя́рный фильм
  мультфи́льм / мультипликацио́нный фильм
  цветно́й (чёрно-бе́лый) фильм
  немо́й (звуково́й) фильм
  двухсери́йный (многосери́йный) фильм
  полнометра́жный (короткометра́жный) фильм
се́рия
  пе́рвая (втора́я) се́рия
  фильм в двух се́риях
кадр
биле́т
звоно́к
  пе́рвый (после́дний) звоно́к
сеа́нс
  у́тренний (дневно́й, вече́рний) сеа́нс
  де́тский сеанс
  удлинённый сеа́нс
демонстра́ция / пока́з
  демонстра́ция фи́льмов
  пока́з но́вого фи́льма
премье́ра
  премье́ра худо́жественного (документа́льного) фи́льма
иска́ть / найти́
  ~ свои́ места́
занима́ть / заня́ть
  ~ свои́ места́
пока́зывать / показа́ть (демонстри́ровать *нсв* и *св*)
  ~ фи́льма
  ~ хро́нику
смотре́ть / посмотре́ть
  ~ фильм / кинофи́льм
  ~ журна́л / киножурна́л

НА КИНОСТУ́ДИИ

1 киносъёмочная площа́дка
2 режиссёр / кинорежиссёр
3 опера́тор / кинооперат́ор
4 киноќамера
5 звукооперат́ор
6 киноарти́ст
7 софи́т
8 проже́ктор
9 микрофо́н

Дополнительный список

съёмка / киносъёмка
сцена́рий
    сцена́рий фи́льма
    а́втор сцена́рия / сценари́ст
сюже́т
му́зыка
постано́вщик
    постано́вщик фи́льма
экраниза́ция
    экраниза́ция рома́на
дубли́рование
    дубли́рование фи́льма
исполни́тель
исполни́тельница
    исполни́тельница гла́вной ро́ли
киноактёр
киноактри́са / киноарти́стка
кинозвезда́
кинофестива́ль
    уча́стники кинофестива́ля
снима́ться / сня́ться
    ~ в фи́льме
снима́ть / снять
    ~ снять фильм
экранизи́ровать *нсв* и *св*
    ~ рома́н
исполня́ть / испо́лнить
    ~ гла́вную роль
игра́ть / сыгра́ть
    ~ в фи́льме

24. ФИЗКУЛЬТУ́РА И СПОРТ

ФИЗИ́ЧЕСКИЕ УПРАЖНЕ́НИЯ

НА У́ТРЕННЕЙ ЗАРЯ́ДКЕ

1 исхо́дное положе́ние
2 положе́ние рук в сто́роны
3 положе́ние рук вверх
4 накло́н ту́ловища
5 приседа́ние
6 положе́ние лёжа

Дополнительный список

заря́дка
  у́тренняя заря́дка
  сде́лать заря́дку
гимна́стика
  у́тренняя гимна́стика
  произво́дственная гимна́стика
  занима́ться у́тренней гимна́стикой
упражне́ние
  дыха́тельное упражне́ние
  выполня́ть / вы́полнить упражне́ние
ходьба́
бег
  бег на ме́сте
прыжки́, *ед.* прыжо́к

СПОРТ. СПОРТИ́ВНЫЕ И́ГРЫ

ФУТБО́Л. ХОККЕ́Й

НА ФУТБО́ЛЬНОМ ПО́ЛЕ

1 стадио́н
2 трибу́на
3 табло́ *нескл. ср.*
4 боле́льщик, *мн.* **боле́льщики**
5 футбо́льное по́ле
6 центра́льный круг
7 сре́дняя ли́ния

8 бокова́я ли́ния
9 воро́та *только мн.*
10 ли́ния воро́т
11 се́тка
12 шта́нга
13 перекла́дина
14 врата́рская площа́дка
15 одиннадцатиметро́вая отме́тка
16 судья́
17 свисто́к
18 футболи́ст
19 врата́рь
20 футбо́льный мяч
21 футбо́лка
22 трусы́ *только мн.*
23 ге́тры, *ед.* **ге́тра**
24 бу́тсы, *ед.* **бу́тса**

Дополнительный список

футбо́л
  смотре́ть *нсв* футбо́л
  игра́ть / сыгра́ть в футбо́л
тайм
  пе́рвый тайм
пас
  пас голово́й
уда́р
  свобо́дный уда́р
  уда́р по воро́там

НА ХОККЕЙНОМ ПОЛЕ

1 хокке́йное по́ле
2 лёд
3 борт
4 хокке́йные воро́та
5 врата́рь
6 ма́ска [вратаря́]
7 щитки́, *ед.* **щито́к**
8 хоккеи́ст
9 судья́
10 коньки́, *ед.* **конёк**
11 ма́йка
12 трусы́ *только мн.*
13 шлем
14 клю́шка
15 ша́йба
16 штрафна́я скамья́
17 тре́нер

Дополнительный список

хокке́й
  хокке́й с ша́йбой
  хокке́й с мячо́м
  хокке́й на траве́
  игра́ть / сыгра́ть в хокке́й
кома́нда
  кома́нда хоккеи́стов
штафно́й *сущ.* / штрафно́й уда́р
  пробива́ть / проби́ть штрафно́й

соста́в [кома́нды]
 сме́на соста́вов
 игра́ть / сыгра́ть в по́лном соста́ве
звено́
 лу́чшее звено́
переда́ча
бросо́к
вбра́сывание
удале́ние [игрока́ с по́ля]
силово́й приём
забра́сывать / забро́сить
 ~ ша́йбу [в воро́та]

БАСКЕТБО́Л. ВОЛЕЙБО́Л

НА БАСКЕТБО́ЛЬНОЙ ПЛОЩА́ДКЕ

1 баскетбо́льная площа́дка
2 корзи́на
3 кольцо́
4 щит
5 баскетбо́льный мяч
6 баскетболи́ст
7 ма́йка
8 трусы́ *только мн.*
9 скаме́йка [запасны́х игроко́в]

Дополнительный список

баскетбо́л
 игра́ть / сыгра́ть в баскетбо́л
баскетболи́стка
бросо́к
 штрафно́й бросо́к
заде́ржка
 заде́ржка мяча́
баскетбо́льная кома́нда
забра́сывать / забро́сить
 ~ мяч в корзи́ну

НА ВОЛЕЙБО́ЛЬНОЙ ПЛОЩА́ДКЕ

1 волейбо́льная площа́дка
2 се́тка
3 волейбо́льный мяч
4 волейболи́ст
5 ма́йка
6 трусы́ *только мн.*
7 ке́ды, *ед.* **кед и ке́да**
8 суде́йская вы́шка

Дополнительный список

волейбо́л
  игра́ть / сыгра́ть в волейбо́л
волейболи́стка
па́ртия
пода́ча
  пода́ча мяча́
  поте́ря пода́чи
  перехо́д пода́чи
уда́р
защи́тник
напада́ющий
пас / переда́ча
брать / взять
  ~ переры́в
гаси́ть / погаси́ть
  ~ мяч
заме́на игрока́
ли́ния
  сре́дняя ли́ния
  за́дняя ли́ния
  ли́ния пода́чи
волейбо́льная кома́нда

ГАНДБО́Л (РУЧНО́Й МЯЧ)

1 гандболи́стка
2 воро́та
3 врата́рь
4 гандбо́льный мяч
5 судья́
6 сте́нка

Дополнительный список

гандболи́ст
гандбо́льная кома́нда

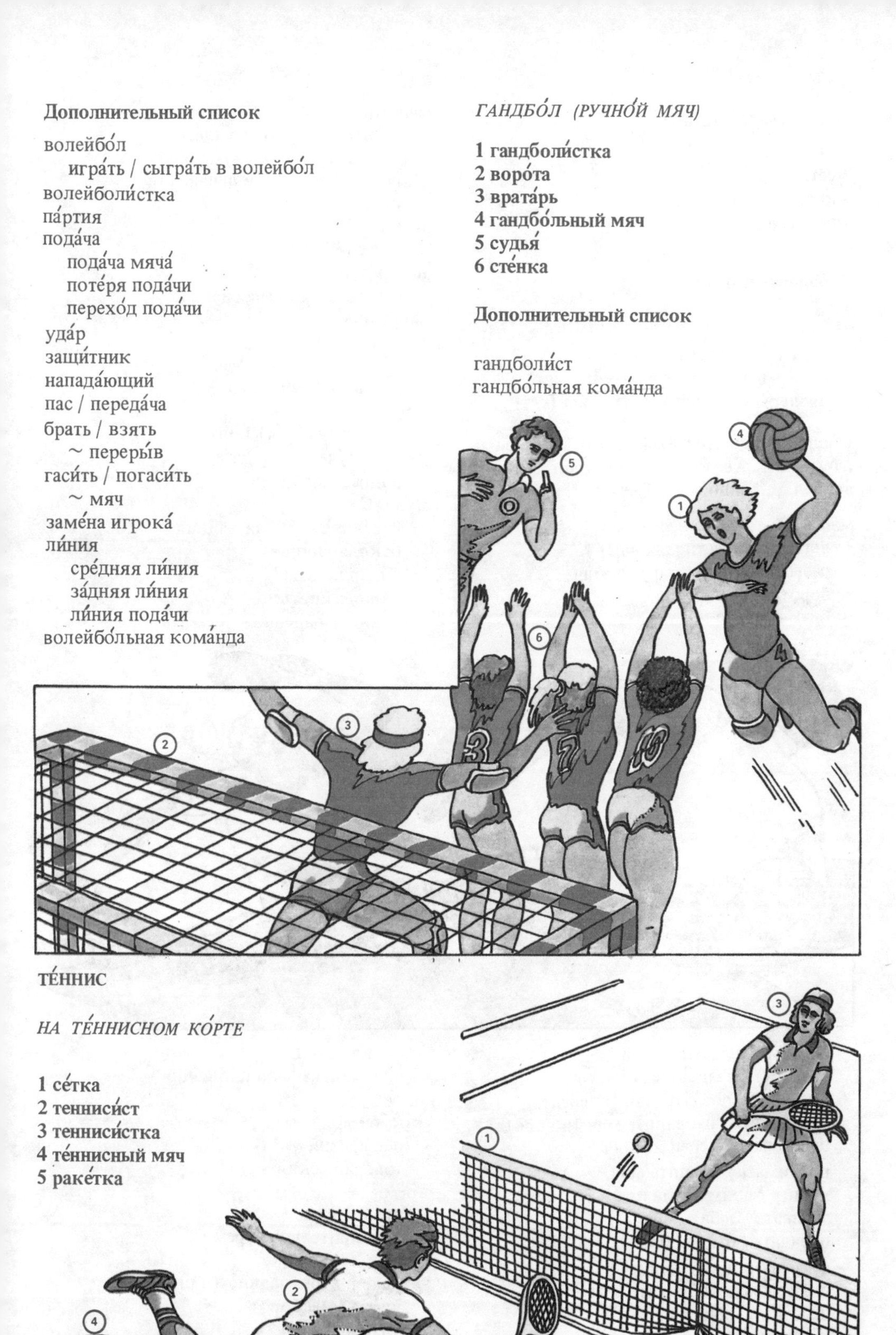

ТЕ́ННИС

НА ТЕ́ННИСНОМ КО́РТЕ

1 се́тка
2 теннеси́ст
3 теннеси́стка
4 те́ннисный мяч
5 раке́тка

НАСТО́ЛЬНЫЙ ТЕ́ННИС

1 стол
2 се́тка
3 игро́к
4 раке́тка
5 мяч

Дополнительный список

те́ннис
- игра́ть / сыгра́ть в те́ннис
- вы́игрывать / вы́играть гейм (сет)
- прои́грывать / проигра́ть гейм (сет)

Общий дополнительный список к темам „Футбо́л", „Хокке́й", „Баскетбо́л", „Волейбо́л", „Гандбо́л", „Те́ннис"

мяч
- вводи́ть / ввести́ мяч в игру́
- разы́грывать / разыгра́ть мяч
- боро́ться *нсв* за мяч
- бить *нсв* по мячу́
- ударя́ть / уда́рить по мячу́
- владе́ть / овладе́ть мячо́м
- посыла́ть / посла́ть мяч [вперёд]
- направля́ть / напра́вить мяч [в воро́та]
- передава́ть / переда́ть мяч
- принима́ть / приня́ть мяч
- лови́ть / пойма́ть мяч
- забива́ть / заби́ть мяч
- отбива́ть / отби́ть мяч
- гаси́ть / погаси́ть мяч
- вбра́сывать / вбро́сить мяч
- высо́кий мяч
- заби́тый мяч
- кручёный мяч
- мяч, подкру́ченный вну́трь (нару́жу)
- ре́заный мяч
- спо́рный мяч
- навесно́й мяч

защи́та
- игра́ть / сыгра́ть в защи́те

нападе́ние
- игра́ть / сыгра́ть в нападе́нии
- центр нападе́ния

игро́к
- запасно́й игро́к

напада́ющий *сущ.*
- центра́льный напада́ющий

защи́тник

полузащи́тник

гол
- забива́ть / заби́ть гол

пода́ча
- пе́рвая (втора́я) пода́ча
- подкру́ченная пода́ча
- подре́занная пода́ча

ли́ния
- пере́дняя (за́дняя) ли́ния
- бокова́я ли́ния
- ли́ния пода́чи
- ли́ния защи́ты
- ли́ния нападе́ния
- ли́ния воро́т
- ли́ния штрафно́й площа́дки

матч
- ку́бковый матч
- реша́ющий матч
- това́рищеский матч

вре́мя
- вре́мя игры́
- дополни́тельное вре́мя

уда́р
- уда́р в перекла́дину (в шта́нгу)
- уда́р вы́ше воро́т
- уда́р с лёта
- уда́р с ме́ста
- уда́р с полулёта
- уда́р свечо́й
- штрафно́й уда́р
- одиннадцатиметро́вый уда́р

ША́ХМАТЫ. ША́ШКИ

НА ША́ХМАТНОМ ТУРНИ́РЕ

1 ша́хматный сто́лик
2 ша́хматные часы́ *только мн.*
3 ша́хматная доска́
4 ша́хматная фигу́ра
5 бе́лые фигу́ры *обычно мн.*
6 чёрные фигу́ры *обычно мн.*
7 коро́ль
8 ферзь
9 ладья́
10 конь
11 слон
12 пе́шка
13 шахмати́ст
14 демонстрацио́нная доска́

ИГРА́ В ША́ШКИ

1 доска́
2 ша́шка
3 шаши́стка

Общий дополнительный список к теме „Ша́хматы. Ша́шки"

ша́хматы *только мн.*
 игра́ть в ша́хматы
 чемпио́н ми́ра по ша́хматам
ша́шки *мн.*
 игра́ть / сыгра́ть в ша́шки
да́мка
 проходи́ть / пройти́ в да́мки
ша́шка
шаши́ст
па́ртия
 па́ртия ша́хмат (ша́шек)
 игра́ть / сыгра́ть па́ртию [в ша́хматы, в ша́шки]
партнёр
партнёрша
комбина́ция
 ша́хматная комбина́ция
пози́ция
 вы́игрышная пози́ция
положе́ние
 ниче́йное положе́ние
сеа́нс
 сеа́нс одновреме́нной игры́
откла́дывать / отложи́ть
 ~ игру́
 ~ па́ртию
доигрывать / доигра́ть па́ртию

ЛЁГКАЯ АТЛЕ́ТИКА

НА БЕГОВО́Й ДОРО́ЖКЕ

1 бегова́я доро́жка
2 барье́р
3 круг
4 ли́ния ста́рта
5 стартёр
6 ста́ртовый пистоле́т
7 секундоме́р
8 табло́
9 бегу́н
10 бегу́нья
11 эстафе́тная па́лочка
12 ли́ния фи́ниша
13 фотофи́ниш

Дополнительный список

лёгкая атле́тика
  занима́ться *нсв* лёгкой атле́тикой
  соревнова́ния по лёгкой атле́тике
легкоатле́т
бег
  бег с препя́тствиями (бег с барье́рами)
  марафо́нский бег
  бег на 100 (сто) ме́тров
  бег на коро́ткую (дли́нную) диста́нцию
диста́нция
  диста́нция 200 (две́сти) ме́тров
  пробега́ть / пробежа́ть диста́нцию
забе́г
  фина́льный забе́г
  забе́г на 400 (четы́реста) ме́тров
эстафе́та
старт
  брать / взять старт
спорти́вная ходьба́
спринт
ста́йер
рыво́к
  де́лать / сде́лать рыво́к
фи́ниш
  пересека́ть / пересе́чь ли́нию фи́ниша
результа́т
стартова́ть *нсв* и *св*
финиши́ровать *нсв* и *св*
  ~ пе́рвым

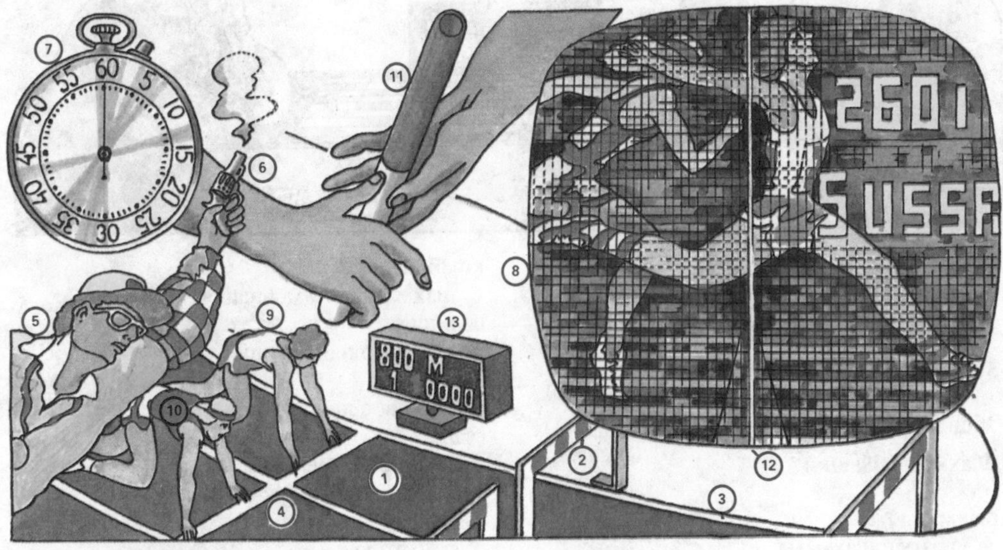

ПРЫЖКИ́

1 пла́нка
2 шест
3 прыгу́н

Дополнительный список

прыжо́к
  тройно́й прыжо́к
  прыжо́к в высоту́
  прыжо́к в длину́
  прыжки́ с шесто́м
  соревнова́ния по прыжка́м

разбе́г
попы́тка
    пе́рвая (втора́я, тре́тья) попы́тка
толчо́к
приземле́ние
высота́
разбега́ться / разбежа́ться
пры́гать / пры́гнуть
приземля́ться / приземли́ться
засчи́тывать / засчита́ть
    ~ результа́т
сбива́ть / сбить
    ~ пла́нку

МЕТА́НИЕ КОПЬЯ́, ДИ́СКА, МО́ЛОТА. ТОЛКА́НИЕ ЯДРА́

1 се́ктор для мета́ния [копья́, ди́ска, мо́лота]
2 мета́тель
3 копьё
4 диск
5 мо́лот
6 круг [для толка́ния ядра́]
7 ядро́

Дополнительный список

мета́ние
    мета́ние копья́, (ди́ска, мо́лота)
толка́ние
    толка́ние ядра́
бросо́к
мета́тельница
мета́ть / метну́ть
    ~ копьё
    ~ диск
    ~ мо́лот
толка́ть / толкну́ть
    ~ ядро́
отме́тка
    контро́льная отме́тка
    отме́тка отта́лкивания
попы́тка
    дополни́тельная попы́тка
    неуда́чная попы́тка
    пе́рвая (после́дняя) попы́тка
нога́
    толчко́вая нога́
    опо́рная нога́

СПОРТИ́ВНАЯ ГИМНА́СТИКА

В ГИМНАСТИ́ЧЕСКОМ ЗА́ЛЕ

1 гимнасти́ческий зал
2 помо́ст
3 перекла́дина
4 бру́сья *мн.*
5 ко́льца *мн.*
6 конь
7 бревно́
8 мат
9 трампли́н
10 гимна́ст
11 гимна́стка
12 трико́ *нескл. ср.*
13 во́льные упражне́ния
14 сто́йка
15 мо́стик
16 шпага́т
17 опо́рный прыжо́к

Дополнительный список

гимна́стика
  спорти́вная гимна́стика
  худо́жественная гимна́стика
  соревнова́ния по гимна́стике
програ́мма
  произво́льная програ́мма
  обяза́тельная програ́мма
компози́ция
  сло́жная компози́ция
комбина́ция
элеме́нт
  сло́жный элеме́нт
са́льто *нескл. ср.*
  двойно́е (тройно́е) са́льто
равнове́сие
  теря́ть / потеря́ть равнове́сие
упражне́ние
  упражне́ние на бру́сьях (бревне́, ко́льцах, коне́, перекла́дине)

3
5
10
11
14
12
4
13
6
7

оце́нка
балл
высо́кий балл
су́мма ба́ллов
получа́ть / получи́ть высо́кий балл
гимнасти́ческий, -ая, -ое, -ие
гимнасти́ческое упражне́ние
гимнасти́ческие снаря́ды
де́лать / сде́лать
~ сто́йку
~ шпага́т
~ мо́стик
пры́гать / пры́гнуть
~ через коня́
выполня́ть / вы́полнить
~ упражне́ние на бру́сьях (бревне́, ко́льцах, коне́, перекла́дине)

БОКС

НА РИ́НГЕ

1 ринг
2 кана́т
3 боксёрские перча́тки, *ед.* **боксёрская перча́тка**
4 судья́
5 боксёр
6 секунда́нт
7 нока́ут

Дополнительный список

бокс
занима́ться *нсв* бо́ксом
соревнова́ния по бо́ксу
ра́унд
пе́рвый (второ́й, тре́тий) ра́унд
ата́ка
коро́ткая ата́ка
проводи́ть / провести́ ата́ку
бой
вести́ *нсв* бой
уда́р
се́рия уда́ров
наноси́ть / нанести́ уда́р
отража́ть / отрази́ть уда́р
пари́ровать *нсв* и *св* уда́р
уклоня́ться / уклони́ться от уда́ра
предупрежде́ние
получа́ть / получи́ть предупрежде́ние
побе́да
присужда́ть / присуди́ть побе́ду
гонг
уда́р го́нга
вес
боксёр наилегча́йшего (легча́йшего, полулёгкого, лёгкого, полусре́днего, сре́днего, полутяжёлого, тяжёлого) ве́са
бо̀кси́ровать *нсв*
нокаути́ровать *св*
~ проти́вника

БОРЬБА́

НА КОВРЕ́

1 ковёр
2 боре́ц
3 трико́ *нескл. ср.*

Дополнительный список

борьба́
класси́ческая борьба́
во́льная борьба́
боро́ться *нсв*
~ акти́вно
~ пасси́вно
приём
приёмы борьбы́
схва́тка
вы́игрывать / вы́играть схва́тку
переворо́т

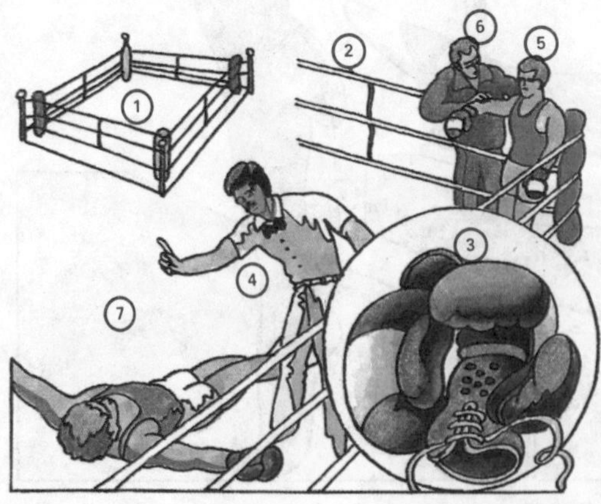

бросо́к
мост
подно́жка
весова́я катего́рия
вес
  боре́ц тяжёлого (лёгкого) ве́са
са́мбо *нескл. ср.*
самби́ст
дзюдо́ *нескл. ср.*
дзюдои́ст
выходи́ть / вы́йти
  ~ на ковёр

ТЯЖЁЛАЯ АТЛЕ́ТИКА

НА ПОМО́СТЕ

1 помо́ст
2 шта́нга
3 диск
4 штанги́ст
5 трико́ *нескл. ср.*
6 по́яс
7 табло́ *нескл. ср.*

Дополнительный список

тяжёлая атле́тика
  занима́ться тяжёлой атле́тикой
тяжелоатле́т
шта́нга
  поднима́ть / подня́ть шта́нгу
вес
  вес шта́нги
  брать / взять вес
подхо́д
  пе́рвый (второ́й, тре́тий) подхо́д
толчо́к
рыво́к

ВО́ДНЫЙ СПОРТ

ПЛА́ВАНИЕ

1 доро́жка
2 раздели́тельный кана́т
3 ста́ртовая ту́мбочка
4 плове́ц
5 пловчи́ха
6 пла́вки *только мн.*
7 купа́льник
8 ша́почка
9 очки́ *только мн.*

Дополнительный список

бассе́йн
  закры́тый бассе́йн
  откры́тый бассе́йн
пла́вание
  синхро́нное пла́вание
  занима́ться *нсв* пла́ванием
во́льный стиль
кроль
баттерфля́й
брасс
диста́нция
заплы́в
  заплы́в на 100 (сто) ме́тров
плыть, пла́вать
  ~ бра́ссом
  ~ на спине́
пла́вать *нсв*
  ~ в бассе́йне

ПРЫЖКИ́ В ВО́ДУ

1 бассе́йн
2 вы́шка для прыжко́в в во́ду
3 трампли́н
4 трибу́на
5 прыгу́н

Дополнительный список

прыгу́нья
прыжо́к
сто́йка
са́льто *нескл. ср.*
оце́нка
балл
поднима́ться / подня́ться
~ на вы́шку
пры́гать / пры́гнуть
~ в во́ду

ВО́ДНОЕ ПО́ЛО

1 воро́та
2 врата́рь
3 мяч
4 ватерполи́ст
5 ша́почка

ПА́РУСНЫЙ СПОРТ

1 я́хта
2 ма́чта
3 па́рус
4 борт
5 нос
6 киль
7 корма́
8 руль
9 яхтсме́н
10 спаса́тельный круг
11 спаса́тельный жиле́т

ГРЕБНО́Й СПОРТ

1 кано́э *нескл. ср.*
2 байда́рка
3 весло́
4 уклю́чина
5 нос
6 корма́
7 сиде́нье
8 гребе́ц
9 рулево́й

Общий дополнительный список к темам „Па́русный спорт. Гребно́й спорт"

гребно́й (па́русный) спорт
  занима́ться *нсв* гребны́м (па́русным) спо́ртом
го́нка
  па́русная го́нка
зае́зд
рега́та
экипа́ж
байда́рочник
байда́рочница
кана́л
  гребно́й кана́л
диста́нция
гре́бля
  академи́ческая гре́бля
  соревнова́ния по гре́бле
грести́ *нсв*

СТРЕЛКО́ВЫЙ СПОРТ

НА СТРЕ́ЛЬБИЩЕ

1 стре́льбище
2 мише́нь
3 силуэ́т
4 винто́вка
  5 прикла́д
  6 ствол
  7 куро́к
  8 затво́р
  9 му́шка
10 пистоле́т
11 патро́ны, *ед.* **патро́н**
12 стрело́к

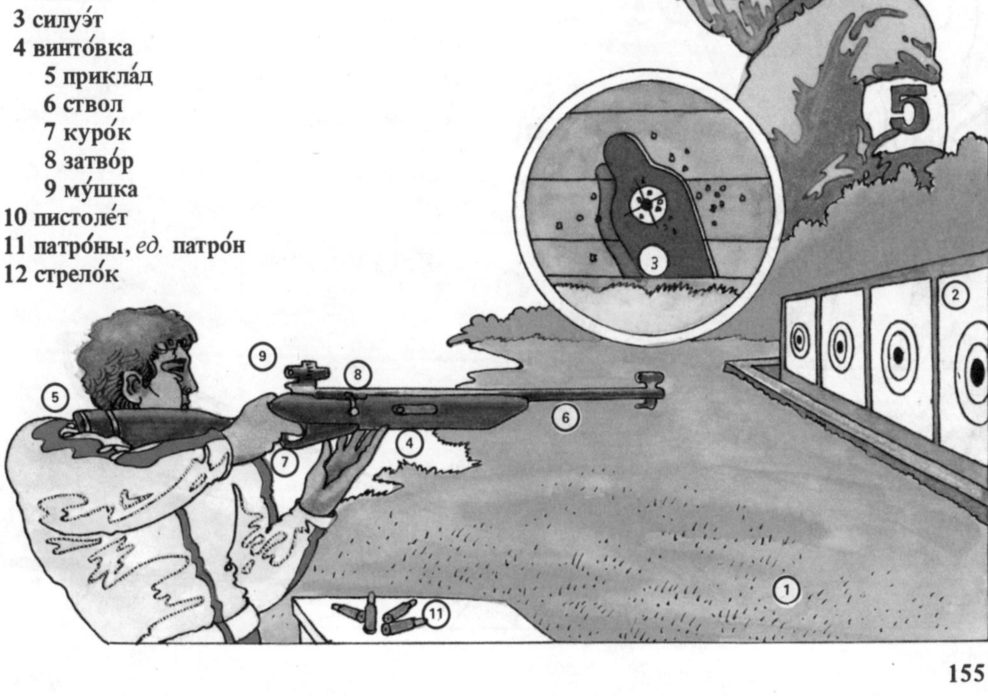

СТРЕЛЬБА́ ИЗ ЛУ́КА

1 лу́чница
2 лук
3 стрела́
4 тетива́
5 колча́н
6 мише́нь

Дополнительный список

стрелко́вый спорт
лу́чник
стрельба́
    стрельба́ из лу́ка (пистоле́та, винто́вки)
    стрельба́ лёжа (сто́я)
    занима́ться / заня́ться стрельбо́й
тир
    стреля́ть в ти́ре
цель
    поража́ть / порази́ть цель
    попада́ть / попа́сть в цель
очко́
бино́кль
диста́нция
вы́стрел
осе́чка
про́мах
це́литься
прице́ливаться / прице́литься
стреля́ть *нсв*
    ~ из лу́ка (пистоле́та, винто́вки)
    ~ в мише́нь
прома́хиваться / промахну́ться
натя́гивать / натяну́ть
    ~ тети́ву

ФЕХТОВА́НИЕ

В ФЕХТОВА́ЛЬНОМ ЗА́ЛЕ

1 фехтова́льный зал
2 шпа́га
3 шпажи́ст
4 ма́ска

5 жиле́т
6 рапи́ра
7 рапири́ст
8 са́бля

Дополнительный список

фехтова́ние
фехтова́льщик / фехтова́льщица
бой
    вести́ бой на рапи́рах (шпа́гах, са́блях)
уко́л
    наноси́ть / нанести́ уко́л
    получа́ть / получи́ть уко́л
уда́р
    отве́тный уда́р
фехтова́ть *нсв*
атакова́ть *нсв* и *св*

ВЕЛОСИПЕ́ДНЫЙ СПОРТ

НА ВЕЛОГО́НКЕ

1 трек
2 велосипе́д
3 педа́ль
4 ра́ма
5 руль
6 седло́
7 колесо́
8 насо́с
9 велого́нщик
10 шлем

Дополнительный список

велоспо́рт
го́нка / велого́нка
    шоссе́йная го́нка
    го́нка на тре́ке
велосипеди́ст
велосипеди́стка
старт
стартова́ть
    ~ пе́рвым

эта́п [го́нки]
проко́л
паде́ние
фи́ниш
ли́ния фи́ниша
    пересека́ть / пересе́чь ли́нию фи́ниша
ли́дер
    ма́йка ли́дера
обгоня́ть / обогна́ть
    ~ проти́вника
вырыва́ться / вы́рваться
    ~ вперёд

лиди́ровать
финиши́ровать *нсв* и *св*

КО́ННЫЙ СПОРТ

НА ИППОДРО́МЕ

1 ипподро́м
2 коню́шня
3 бегова́я доро́жка
4 ло́шадь
5 удила́ *только мн.*
6 пово́дья, *ед.* **по́вод**
7 седло́
8 стре́мя
9 шпо́ры, *ед.* **шпо́ра**
10 узде́чка
11 вса́дник
12 вса́дница
13 фрак
14 цили́ндр
15 стек
16 сапоги́, *ед.* **сапо́г**
17 бри́джи *только мн.*
18 препя́тствие

Дополнительный список

ко́нный спорт
ска́чки
жоке́й
мане́ж
езда́
  верхова́я езда́
  шко́ла верхово́й езды́
очко́
  штафно́е очко́
зае́зд
препя́тствие
  преодолева́ть / преодоле́ть препя́тствие
шаг
  идти́ ша́гом
выездка
аллю́р
  идти́ аллю́ром
рысь
  идти́ ры́сью
гало́п
  идти́ гало́пом
  пуска́ть / пусти́ть в гало́п

ло́шадь
  сади́ться / сесть на ло́шадь
  управля́ть *нсв* ло́шадью
  е́хать, е́здить
  ~ верхо́м

ЛЫ́ЖНЫЙ СПОРТ

НА ЛЫ́ЖНОЙ ТРА́ССЕ

1 лы́жня
2 лы́жник
3 лы́жи, *ед.* **лы́жа**
4 лы́жные па́лки, *ед.* **лы́жная па́лка**
5 крепле́ние
6 боти́нки, *ед.* **боти́нок**
7 ша́почка
8 лы́жный костю́м

ПРЫЖКИ́ С ТРАМПЛИ́НА

9 трампли́н
10 подъёмник
11 прыгу́н

Дополнительный список

лы́жи
смáзывать / сма́зать лы́жи [ма́зью]
го́рные лы́жи
лы́жница
лы́жный, -ая, -ое, -ые
лы́жный спорт
занима́ться *нсв* лы́жным спо́ртом
лы́жная ба́за
лы́жная мазь
лы́жная тра́сса
лы́жные го́нки
уча́ствовать *нсв* в лы́жных го́нках
нака́т
сла́лом
скоростно́й спуск
прыжо́к с трампли́на
идти́ *нсв*
~ по лыжне́
ход
спуск
подъём

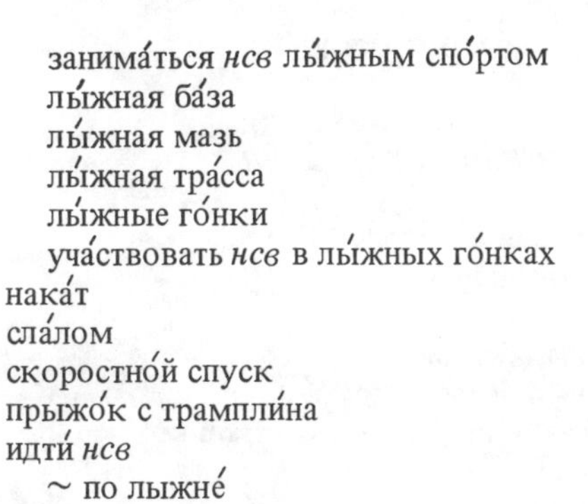

КОНЬКОБЕ́ЖНЫЙ СПОРТ

СКОРОСТНО́Й БЕГ НА КОНЬКА́Х

1 **вне́шняя доро́жка**
2 **вну́тренняя доро́жка**
3 **конькобе́жец**
4 **конькобе́жка**
5 **конькобе́жный костю́м**
6 **беговы́е коньки́**, *ед.* **бегово́й конёк**
7 **ли́ния ста́рта**
8 **стартёр**
9 **ста́ртовый пистоле́т**

ФИГУ́РНОЕ КАТА́НИЕ

1 **ледяно́е по́ле / като́к**
2 **табло́** *нескл. ср.*
3 **фигури́ст**
4 **фигури́стка**
5 **фигу́рные коньки́**, *ед.* **фигу́рный конёк**
6 **танцева́льная па́ра**
7 **прыжо́к**
8 **враще́ние**

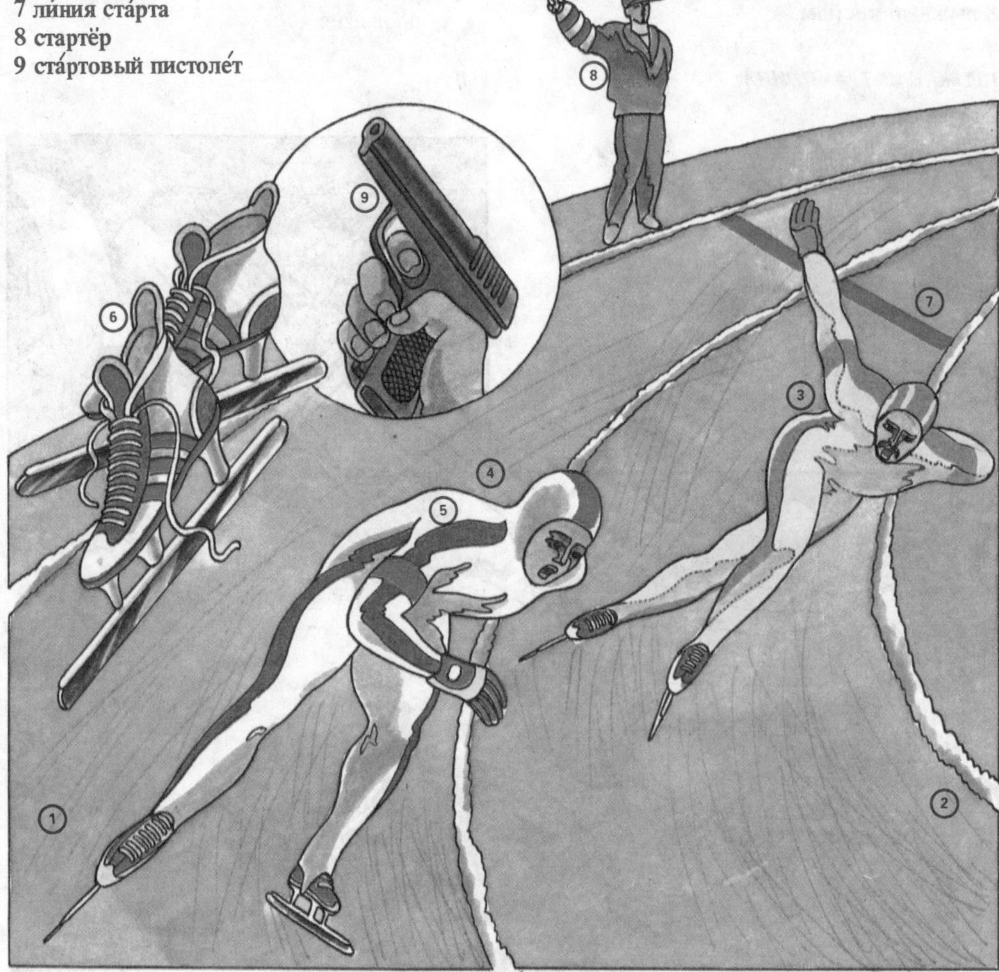

Дополнительный список

диста́нция
  проходи́ть / пройти́ диста́нцию
круг
  после́дний круг
забе́г
поворо́т
фи́нишная пряма́я
  выходи́ть / вы́йти на фи́нишную пряму́ю

Дополнительный список

ката́ние / фигу́рное ката́ние
  па́рное ката́ние
  одино́чное ката́ние
спорти́вные та́нцы, *ед.* спорти́вный та́нец
партнёр
партнёрша
исполне́ние
  те́хника исполне́ния
  артисти́чность исполне́ния
програ́мма

обяза́тельная програ́мма
произво́льная програ́мма
оце́нка (балл)
высо́кая оце́нка (высо́кий балл)
выступле́ние
показа́тельные выступле́ния
разми́нка

НА ПЬЕДЕСТА́ЛЕ ПОЧЁТА

1 пьедеста́л почёта
2 ме́сто (пе́рвое, второ́е, тре́тье)
3 золота́я меда́ль
4 сере́бряная меда́ль
5 бро́нзовая меда́ль
6 ку́бок
7 лавро́вый вено́к
8 цветы́, *ед.* **цвето́к**
9 Госуда́рственный флаг СССР

Дополнительный список

награ́да
спорти́вные награ́ды
вруча́ть / вручи́ть награ́ду
гимн
госуда́рственный гимн
завоёвывать / завоева́ть
~ золоту́ю (сере́бряную, бро́нзовую) меда́ль
~ ку́бок
~ побе́ду
~ пе́рвое ме́сто
занима́ть / заня́ть
~ пе́рвое ме́сто
~ призово́е ме́сто
награжда́ть / награди́ть
~ победи́теля

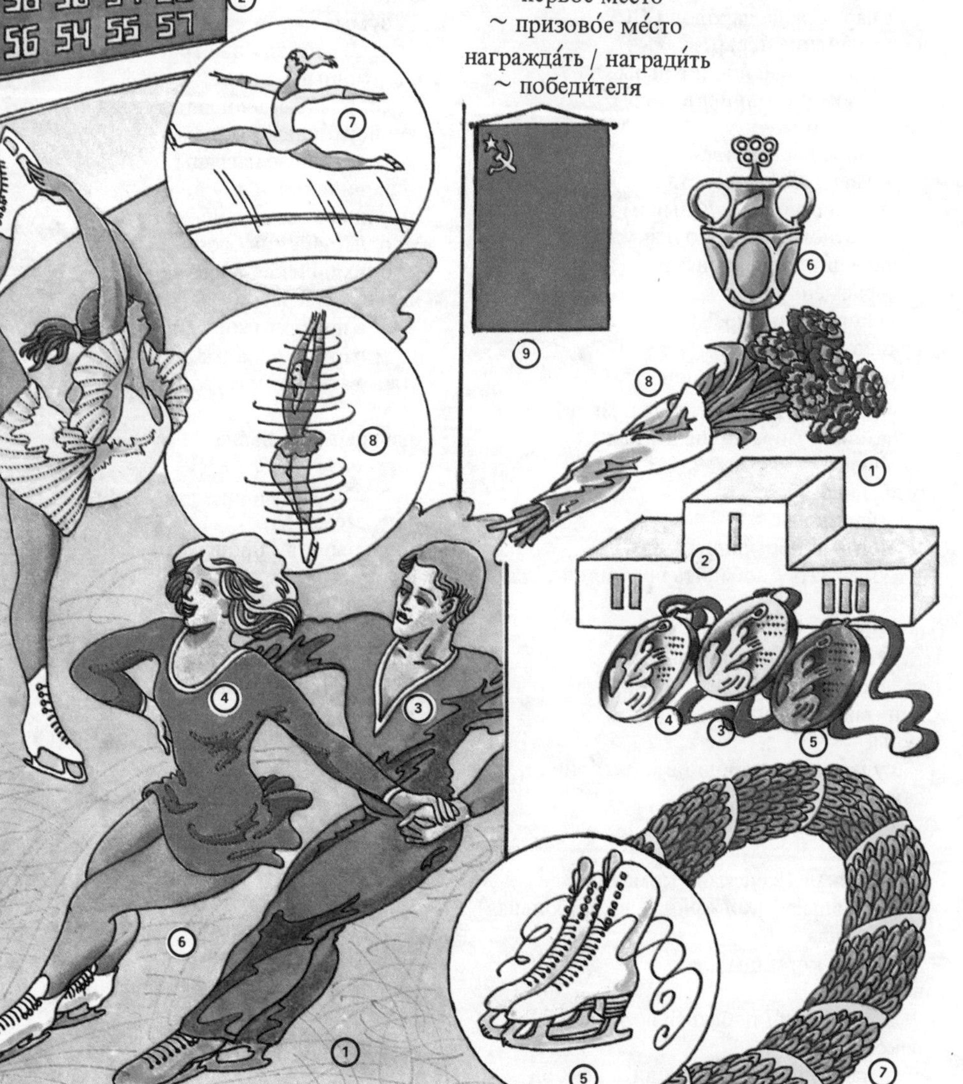

Общий дополнительный список к теме „Спорт. Спорти́вные и́гры"

спорт
 сове́тский спорт
 занима́ться *нсв* спо́ртом
соревнова́ние
 спорти́вные соревнова́ния
 соревнова́ние по бо́ксу (гимна́стике)
состяза́ние
 спорти́вные состяза́ния
 конькобе́жные состяза́ния
 состяза́ние в бе́ге
матч
 футбо́льный матч
 матч на пе́рвенство [страны́]
спартакиа́да
 зи́мняя спартакиа́да
 ле́тняя спартакиа́да
 Спартакиа́да наро́дов СССР
Олимпи́йские и́гры
 ле́тние олимпи́йские и́гры
 зи́мние олимпи́йские и́гры
пе́рвенство
 ли́чное пе́рвенство
 кома́ндное пе́рвенство
 пе́рвенство по отде́льным ви́дам спо́рта
 пе́рвенство ми́ра по ша́хматам
 победи́тели пе́рвенства
рекордсме́н
 рекордсме́н ми́ра
чемпио́н
 олимпи́йский чемпио́н
 чемпио́н страны́ (Евро́пы, ми́ра)
 чемпио́н ми́ра по ша́хматам
сопе́рник
сопе́рница
проти́вник
 си́льный проти́вник
 побежда́ть / победи́ть проти́вника
победи́тель
 победи́тель соревнова́ния
тре́нер
капита́н [кома́нды]
судья́
 судья́ междунаро́дной катего́рии
свисто́к
 суде́йский свисто́к
кома́нда
 мужска́я (же́нская) кома́нда
 футбо́льная (хокке́йная, волейбо́льная) кома́нда
 соста́в кома́нды
побе́да
 добива́ться / доби́ться побе́ды
реко́рд
 устана́вливать / установи́ть реко́рд
пораже́ние
 терпе́ть / потерпе́ть пораже́ние
игра́
 игра́ в футбо́л (волейбо́л, ша́хматы)
 спорти́вные и́гры
ата́ка
контрата́ка
наруше́ние [пра́вил]
переры́в
 уходи́ть / уйти́ на переры́в
счёт
 ниче́йный счёт *разг.* / ничья́ *сущ.*
 счёт ма́тча 3:1 (три – оди́н)
 открыва́ть / откры́ть счёт
 открыва́ть / откры́ть счёт
ничья́
 соглаша́ться / согласи́ться на ничью́
очко́
 су́мма очко́в
 выи́грывать / вы́играть ли́шнее очко́
спорти́вный, -ая, -ое, -ые
 спорти́вная площа́дка
 спорти́вный костю́м
 спорти́вные награ́ды
олимпи́йский, -ая, -ое, -ие
 олимпи́йские ви́ды спо́рта
 олимпи́йский ого́нь
 олимпи́йская дере́вня
игра́ть / сыгра́ть
 ~ в футбо́л (хокке́й, волейбо́л, гандбо́л)
 ~ па́ртию в ша́хматы
атакова́ть *нсв* и *св (о команде)*
выи́грывать / вы́играть
 ~ матч
 ~ соревнова́ния
 ~ зае́зд
прои́грывать / проигра́ть
 ~ матч
 ~ соревнова́ния
 ~ зае́зд
боле́ть *нсв разг.*
 ~ за свою́ кома́нду
вничью́
 ~ сыгра́ть *св* вничью́

Природа

1. ЗЕМНО́Й ШАР

ГЛО́БУС

1 Се́верный по́люс
2 Ю́жный по́люс
3 эква́тор
4 меридиа́н
5 паралле́ль
6 океа́н
7 мо́ре
8 матери́к
9 го́ры, *ед.* **гора́**
10 леса́, *ед.* **лес**
11 о́стров
12 полуо́стров
13 пусты́ня

КО́МПАС

14 ко́мпас
15 стре́лка
16 се́вер
17 юг
18 восто́к
19 за́пад

Дополнительный список

приро́да
  охраня́ть приро́ду
  охра́на приро́ды
  явле́ния приро́ды
стра́ны све́та
направле́ние
  се́верное (ю́жное, восто́чное, за́падное) направле́ние
  направле́ние на се́вер (юг, восто́к, за́пад)

2. ВРЕМЕНА́ ГО́ДА

1 весно́й
2 ле́том
3 о́сенью
4 зимо́й

③

Слова и словосочетания к теме

вре́мя го́да
весна́
    ра́нняя весна́

④

- по́здняя весна́
- весе́нний, -яя, -ее, -ие
  - весе́нний день
  - весе́нние ручьи́
- весно́й
- по-весе́ннему
- ле́то
  - жа́ркое ле́то
  - прохла́дное ле́то
- ле́тний, -яя, -ее, -ие
  - ле́тний день
  - ле́тняя жара́
- ле́том
- по-ле́тнему
- о́сень
  - дождли́вая о́сень
  - по́здняя о́сень
- осе́нний, -яя, -ее, -ие
  - осе́нний день
  - осе́нний дождь
- о́сенью
- по-осе́ннему
- зима́
  - холо́дная зима́
  - сне́жная зима́
- зи́мний, -яя, -ее, -ие
  - зи́мний день
  - зи́мний хо́лод
- зимо́й
- по-зи́мнему
- кли́мат
  - холо́дный кли́мат
  - жа́ркий кли́мат
  - уме́ренный кли́мат
- пого́да
  - я́сная пого́да
  - па́смурная пого́да
- во́здух
  - вла́жный во́здух
  - сухо́й во́здух
  - температу́ра во́здуха
- ве́тер
  - се́верный ве́тер
  - ю́жный ве́тер
  - восто́чный ве́тер
  - за́падный ве́тер
- дождь
  - си́льный дождь
  - проливно́й дождь
- гроза́
  - си́льная гроза́
- гром
  - раска́ты гро́ма
- мо́лния
  - шарова́я мо́лния
- облака́, *ед.* о́блако
  - ни́зкие облака́
  - се́рые облака́
- ту́ча
  - се́рая ту́ча
- роса́
  - у́тренняя роса́
- тума́н
  - густо́й тума́н
- со́лнце
  - я́ркое со́лнце
  - луч со́лнца
  - восхо́д со́лнца
  - захо́д со́лнца
- заря́
  - у́тренняя заря́
  - вече́рняя заря́
- рассве́т
- жара́
  - си́льная жара́
- зной
  - невыноси́мый зной
- хо́лод
  - си́льный хо́лод
- моро́з
  - си́льный моро́з
  - кре́пкий моро́з
  - сла́бый моро́з
- снег
  - пе́рвый снег
  - пуши́стый снег
- и́ней
- град
- у́тро
  - прохла́дное у́тро
  - све́жее у́тро
- день
  - холо́дный день
  - моро́зный день
  - тёплый день
  - со́лнечный день
  - я́сный день
  - жа́ркий день
- ве́чер
  - тёплый ве́чер
- ночь
  - тёмная ночь
- идти́ *нсв (о дожде, о снеге)*
- дуть *нсв (о ветре)*
- пройти́ *св (о грозе)*
- греме́ть *нсв (о громе)*
- сверка́ть / сверкну́ть *(о молнии)*
- всходи́ть / взойти́ *(о солнце)*
- заходи́ть / зайти́ *(о солнце)*
- рассвета́ть / рассвести́
- выпада́ть / вы́пасть *(о граде, о снеге)*
- та́ять / раста́ять *(о снеге)*
- у́тром
- днём
- ве́чером
- но́чью

3. ЗЕМЛЯ́. ЛАНДША́ФТ

1 гора́
- 2 верши́на горы́
- 3 подно́жие горы́
- 4 склон

5 скала́
6 пеще́ра
7 равни́на
8 овра́г
9 обры́в
10 мо́ре
11 волна́
12 о́зеро
13 река́
14 водопа́д
15 руче́й
16 бе́рег
17 о́стров
18 полуо́стров

Дополнительный список

земля́
су́ша
ме́стность
- леси́стая ме́стность
- гори́стая ме́стность

возвы́шенность
холм
ни́зменность
доли́на
- доли́на реки́

вода́
- морска́я вода́
- пре́сная вода́

океа́н
- Ти́хий океа́н
- Атланти́ческий океа́н
- Се́верный Ледови́тый океа́н
- глуби́ны океа́на

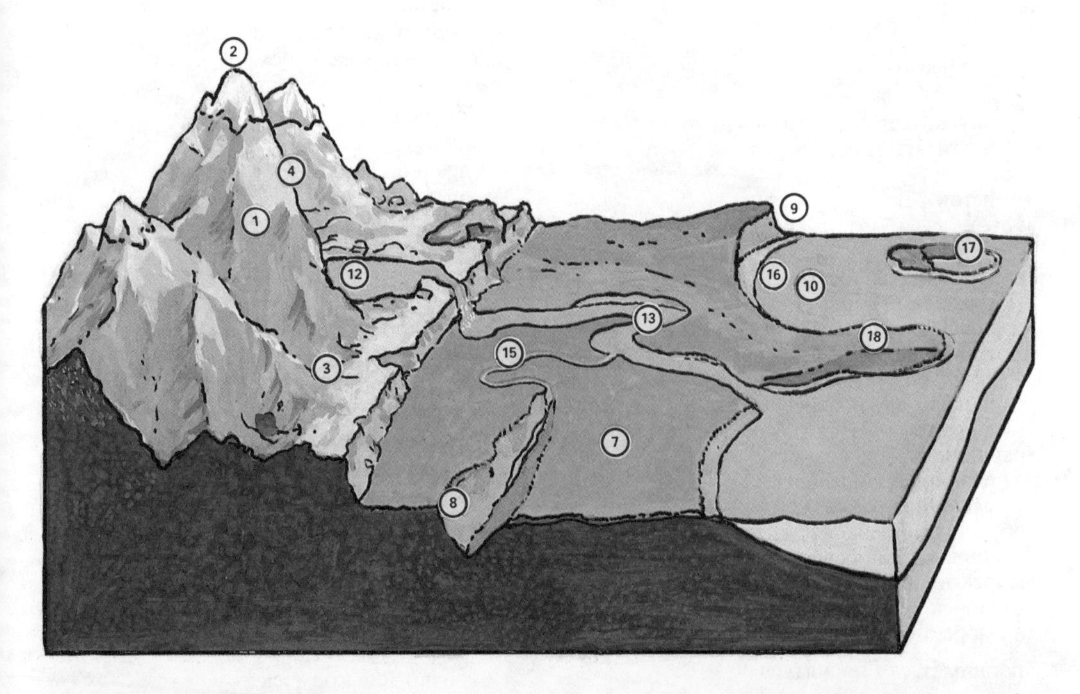

мо́ре
Бе́лое мо́ре
Чёрное мо́ре
Балти́йское мо́ре
Каспи́йское мо́ре
зали́в
морско́й зали́в
боло́то
лесно́е боло́то
осуша́ть / осуши́ть боло́та
исто́чник
горя́чий исто́чник
ключ
холо́дный ключ
родни́к
вода́ из родника́
прито́к
прито́к Во́лги
тече́ние
бы́строе тече́ние
тече́ние реки́
плыть по тече́нию (про́тив тече́ния)
дно
морско́е дно
дно реки́
на дне о́зера
опуска́ться / опусти́ться на дно
достига́ть / дости́чь дна
исто́к
исто́к реки́
у́стье
у́стье реки́
скали́стый, -ая, -ое, -ые
скали́стый бе́рег
го́рный, -ая, -ое, -ые
го́рные верши́ны
го́рное о́зеро
гори́стый, -ая, -ое, -ые
гори́стая ме́стность
равни́нный, -ая, -ое, -ые
равни́нная ме́стность
равни́нные ре́ки
обры́вистый, -ая, -ое, -ые
обры́вистый бе́рег
морско́й, -ая, -ое, -ие
морско́й бе́рег
морско́е тече́ние
поднима́ться / подня́ться
~ на́ гору
~ на верши́ну горы́
спуска́ться / спусти́ться
~ с горы́
~ с верши́ны горы́

4. ВОЗДУ́ШНОЕ, КОСМИ́ЧЕСКОЕ ПРОСТРА́НСТВО

НОЧНО́Е НЕ́БО

1 не́бо
2 звезда́
3 созве́здие Большо́й Медве́дицы
4 луна́
5 метеори́т

Дополнительный список

атмосфе́ра
земна́я атмосфе́ра / атмосфе́ра Земли́
пло́тные сло́и атмосфе́ры
атмосфе́рное давле́ние
во́здух
простра́нство
возду́шное простра́нство
косми́ческое простра́нство
безвозду́шное простра́нство
кислоро́д
дыша́ть кислоро́дом
мир / вселе́нная / ко́смос / косми́ческое простра́нство
небе́сное те́ло
плане́та
плане́та Земля́
плане́та Марс
плане́та Вене́ра
Поля́рная звезда́
Мле́чный Путь

ПОКОРЕ́НИЕ КО́СМОСА

6 космодро́м
7 косми́ческий кора́бль
8 раке́та-носи́тель
9 каби́на косми́ческого корабля́
10 космона́вт
11 скафа́ндр

Дополнительный список

ко́смос
освое́ние ко́смоса
полёт в ко́смос
вы́ход в откры́тый ко́смос
спу́тник
иску́сственный спу́тник Земли́
запуска́ть / запусти́ть спу́тник
за́пуск
за́пуск косми́ческого корабля́
за́пуск спу́тника
полёт
косми́ческий полёт
орбита́льный полёт

перегру́зки
невесо́мость
кора́бль / косми́ческий кора́бль
  команди́р корабля́
  грузово́й кора́бль
экипа́ж
  междунаро́дный экипа́ж
  экипа́ж косми́ческого корабля́
орби́та
  выводи́ть / вы́вести косми́ческий кора́бль на орби́ту
стыко́вка
  стыко́вка косми́ческих корабле́й
расстыко́вка
ста́нция
  орбита́льная ста́нция
поса́дка
  мя́гкая поса́дка
  соверша́ть / соверши́ть поса́дку
стыкова́ться / состыкова́ться
приземля́ться / приземли́ться

5. РАСТИ́ТЕЛЬНЫЙ МИР

В ЛЕСУ́

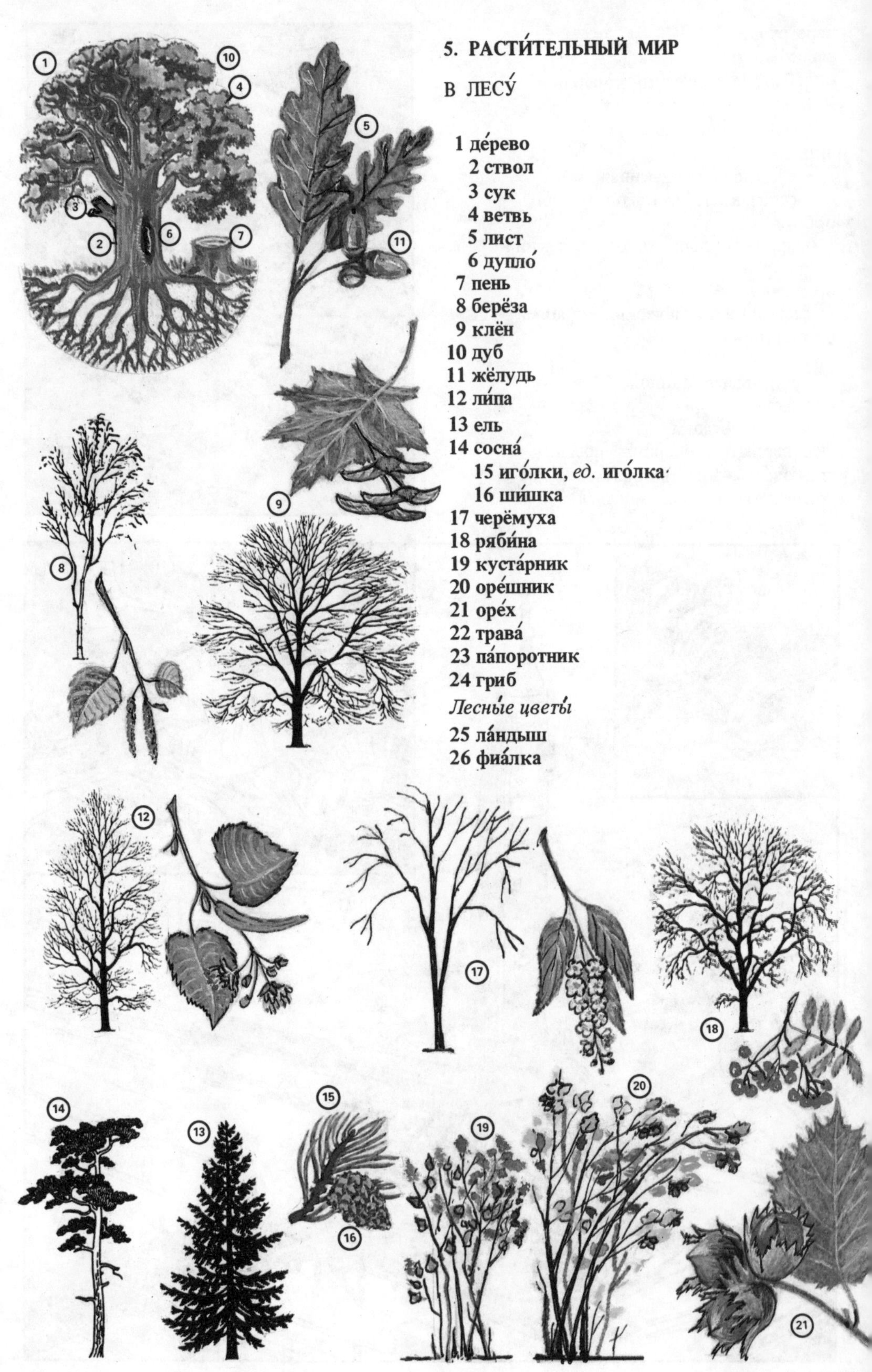

1 де́рево
  2 ствол
  3 сук
  4 ветвь
  5 лист
  6 дупло́
7 пень
8 берёза
9 клён
10 дуб
11 жёлудь
12 ли́па
13 ель
14 сосна́
  15 иго́лки, *ед.* иго́лка
  16 ши́шка
17 черёмуха
18 ряби́на
19 куста́рник
20 оре́шник
21 оре́х
22 трава́
23 па́поротник
24 гриб

Лесны́е цветы́

25 ла́ндыш
26 фиа́лка

27 ромáшка
28 колокóльчик
29 одувáнчик
30 подснéжник
31 незабýдка

Лесны́е я́годы

32 черни́ка
33 земляни́ка
34 ежеви́ка
35 мали́на
36 брусни́ка
37 клю́ква

Дополнительный список

расти́тельность
  тропи́ческая расти́тельность
растéние
  ди́кое растéние
  культýрное растéние
лес
  ли́ственный лес
  берёзовый лес
  хвóйный лес
  соснóвый лес
  елóвый лес
  пойти́ в лес [за грибáми]
  заблуди́ться в лесý
рóща
  берёзовая рóща
  соснóвая рóща

В САДУ́
1 я́блоня
2 я́блоко
3 гру́ша
4 виногра́д
5 абрико́с
6 пе́рсик
7 сли́ва
8 ви́шня
9 чере́шня
10 мали́на
1
2
3
4
5
6
7
8
9
10
11
12
13

11 чёрная сморо́дина
12 крыжо́вник
13 клубни́ка
14 сире́нь
15 ро́за
16 георги́н
17 гладио́лус
18 ли́лия
19 а́стра
20 гвозди́ка
21 тюльпа́н
22 мак

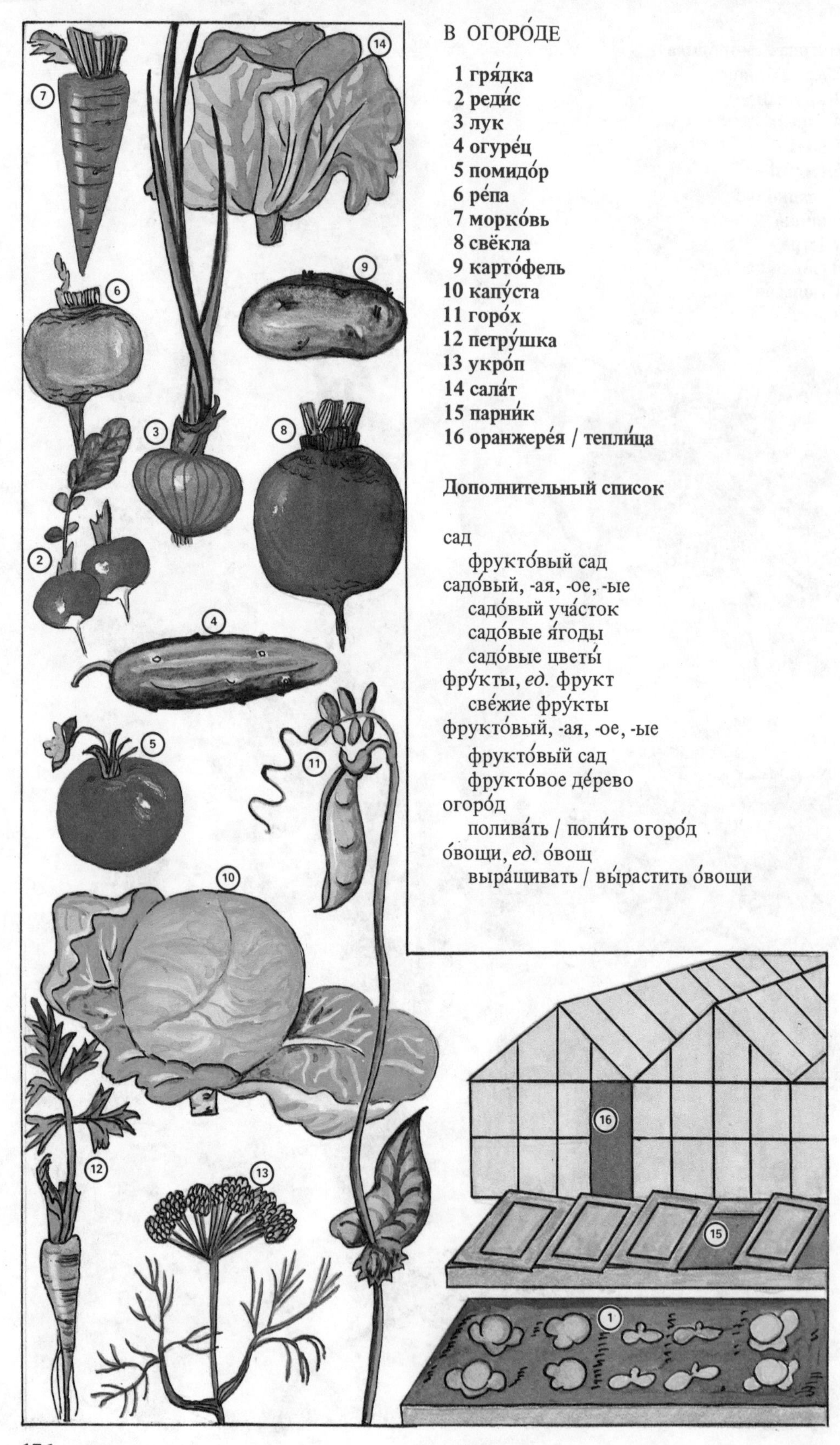

В ОГОРО́ДЕ

1 гря́дка
2 реди́с
3 лук
4 огуре́ц
5 помидо́р
6 ре́па
7 морко́вь
8 свёкла
9 карто́фель
10 капу́ста
11 горо́х
12 петру́шка
13 укро́п
14 сала́т
15 парни́к
16 оранжере́я / тепли́ца

Дополнительный список

сад
  фрукто́вый сад
садо́вый, -ая, -ое, -ые
  садо́вый уча́сток
  садо́вые я́годы
  садо́вые цветы́
фру́кты, *ед.* фрукт
  све́жие фру́кты
фрукто́вый, -ая, -ое, -ые
  фрукто́вый сад
  фрукто́вое де́рево
огоро́д
  полива́ть / поли́ть огоро́д
о́вощи, *ед.* о́вощ
  выра́щивать / вы́растить о́вощи

цветы́, *ед.* цвето́к
 сажа́ть / посади́ть цветы́
цветни́к
 разбива́ть / разби́ть цветни́к

НА КОЛХО́ЗНОМ ПО́ЛЕ

1 пшени́ца
2 рожь
3 овёс
4 про́со
5 гречи́ха
6 ячме́нь
7 сте́бель
8 ко́лос
9 василёк
10 кукуру́за
11 поча́ток
12 подсо́лнечник / *разг.* **подсо́лнух**

НА КОЛХО́ЗНОЙ БАХЧЕ́

1 арбу́з
2 ды́ня
3 ты́ква
4 пе́рец
5 патиссо́н
6 кабачо́к
7 баклажа́н

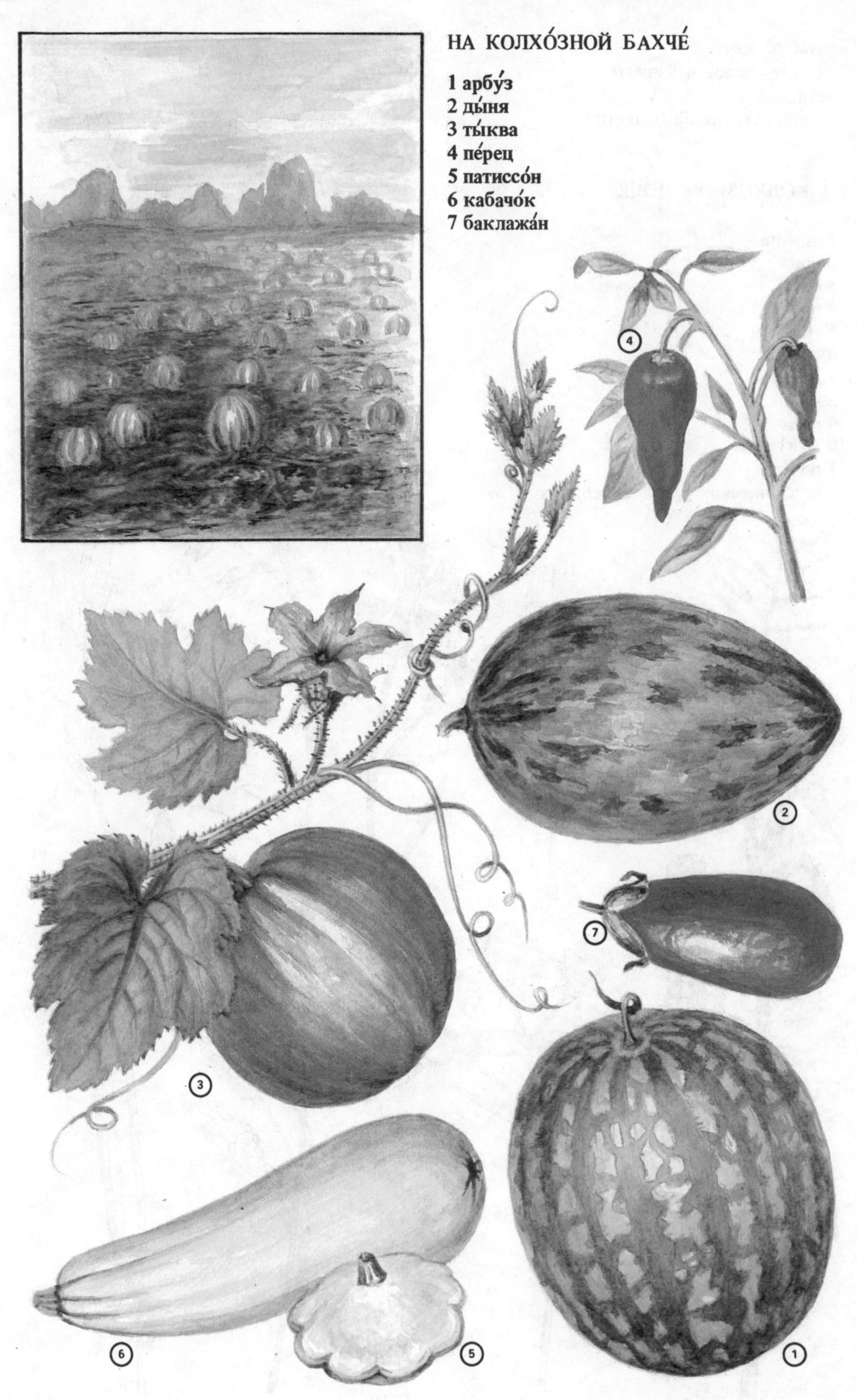

НА ПЛАНТА́ЦИИ

1 виногра́дник
2 лимо́н
3 мандари́н
4 апельси́н

Дополнительный список

по́ле
  колхо́зное по́ле
планта́ция
  планта́ция виногра́дника
культу́ры, *ед.* культу́ра
  сельскохозя́йственные культу́ры
  зерновы́е культу́ры
  бахчевы́е культу́ры
плодо́вый, -ая, -ое, -ые
  плодо́вые дере́вья

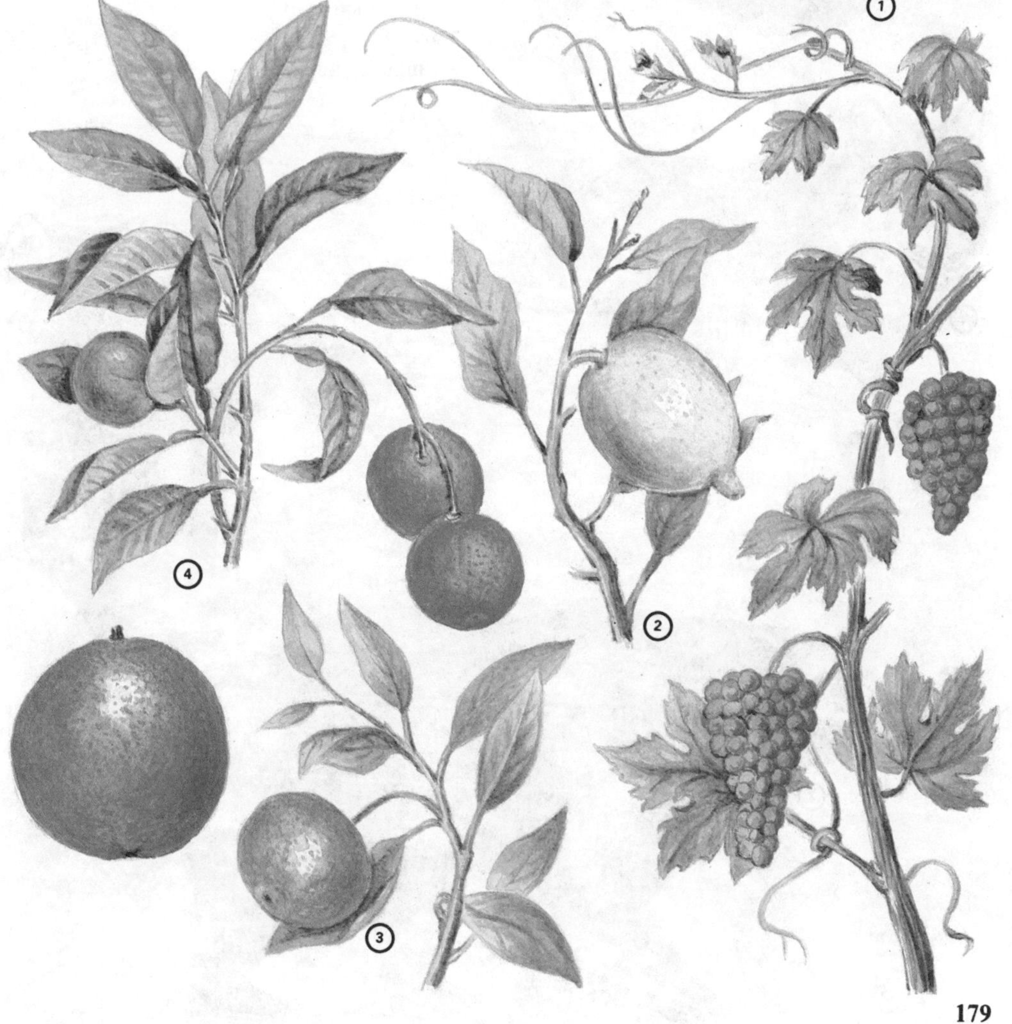

6. ЖИВО́ТНЫЙ МИР

ЛЕСНЫ́Е ЗВЕ́РИ

1 бе́лка
2 волк
3 медве́дь
4 лиса́
5 за́яц
6 лось
7 оле́нь
8 ёж

Дополнительный список

живо́тные, *ед.* живо́тное *сущ.*
    ди́кие живо́тные
    дома́шние живо́тные
живо́тный, -ая, -ое, -ые
    живо́тный мир
зверь
    хи́щные зве́ри

нора́
　　ли́сья нора́
берло́га
　　медве́жья берло́га
ста́я
　　ста́я волко́в
охо́титься
　　~ на медве́дя
　　~ на за́йцев
охо́та
　　охо́та на медве́дя
　　охо́та на волко́в
во́лчий, -ья, -ье, -ьи
　　во́лчья ста́я
　　во́ячья шку́ра
　　во́лчий хвост
медве́жий, -ья, -ье, -ьи
　　медве́жья шку́ра
ли́сий, -ья, -ье, -ьи
　　ли́сий хвост
за́ячий, -ья, -ье, -ьи
　　за́ячьи у́ши
лоси́ный, -ая -ое, -ые
　　лоси́ные рога́
оле́ний, -ья, -ье, -ьи
　　оле́ньи рога́

В ЗООПА́РКЕ
1 кле́тка
2 лев
3 льви́ца
4 тигр
5 леопа́рд
6 зе́бра
7 жира́ф
8 кенгуру́
9 носоро́г
10 бегемо́т
11 верблю́д
12 горб
13 слон
14 би́вень
15 хо́бот
16 обезья́на
1
16
4
5
3
2

ЗООПАРК
7
6
8
9
13
10
12
11
14
15

ПТИ́ЦЫ

1 орёл
2 ко́ршун
3 со́кол
4 я́стреб
5 го́лубь
6 воробе́й
7 снеги́рь
8 сини́ца
9 дя́тел
10 куку́шка
11 сова́
12 птенцы́, *ед.* **птене́ц**
13 гнездо́
14 фи́лин
15 воро́на
16 грач
17 га́лка
18 соро́ка
19 жа́воронок
20 солове́й
21 скворе́ц
22 скворе́чник
23 ча́йка
24 ле́бедь
25 ла́сточка
26 а́ист

27 жура́вль
28 ца́пля
29 попуга́й
30 стра́ус
31 павли́н
32 пингви́н

Дополнительный список

пти́цы, *ед.* пти́ца
  перелётные пти́цы
  пе́вчие пти́цы
ста́я
  ста́я воробьёв
  ста́я журавле́й
пе́ние
  пе́ние птиц
  пе́ние соловья́
лете́ть, лета́ть
улета́ть / улете́ть
прилета́ть / прилете́ть
вить / свить
  ~ гнездо́
выводи́ть / вы́вести
  ~ птенцо́в
петь *нсв (о птице)*
чири́кать *нсв (о воробье)*
кукова́ть *нсв (о кукушке)*
ка́ркать *нсв (о вороне)*

ЗЕМНОВО́ДНЫЕ. ПРЕСМЫКА́ЮЩИЕСЯ

1 змея́
2 черепа́ха
3 я́щерица
4 уж
5 лягу́шка
6 крокоди́л

Дополнительный список

ползти́, по́лзать *(о змее, черепахе)*
жа́лить / ужа́лить *(о змее)*
ква́кать *нсв (о лягушке)*

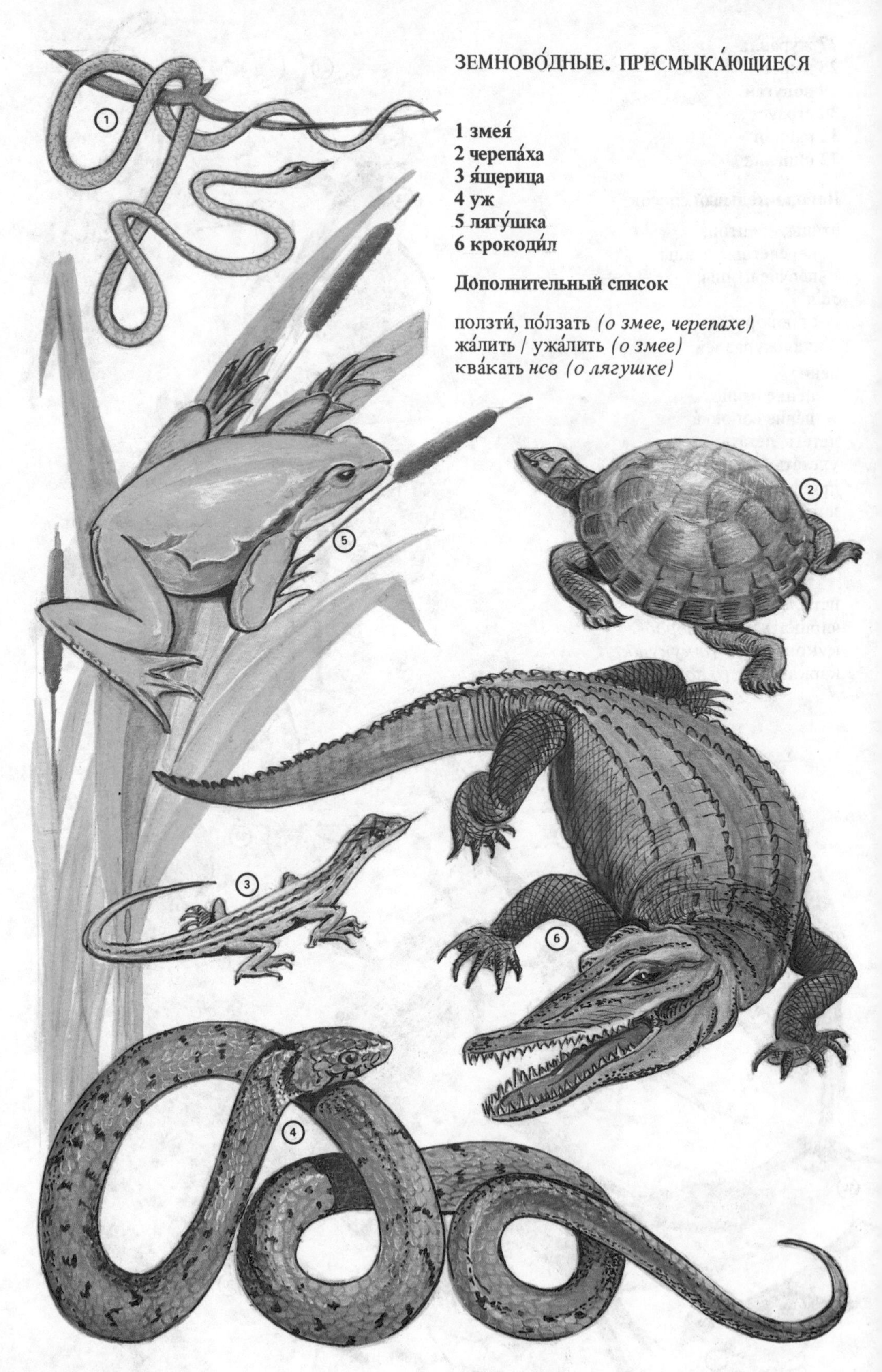

НАСЕКО́МЫЕ

1ба́бочка
2 жук
3 кома́р
4 гу́сеница
5 стрекоза́
6 кузне́чик
7 пчела́
8 рой [пчёл]
9 му́ха
10 пау́к
11 муравéй

Дополнительный список

жужжа́ть *нсв (о пчеле, мухе, комаре)*
стрекота́ть *нсв (о кузнечике)*
куса́ть / укуси́ть *(о комаре, муравье)*
жа́лить / ужа́лить *(о пчеле)*
плести́ паути́ну *нсв (о пауке)*

РЫ́БЫ. МОРСКИ́Е ЖИВО́ТНЫЕ

1 кит
2 треска́
3 лосо́сь
4 морж
5 тюле́нь
6 аку́ла
7 дельфи́н
8 краб
9 кальма́р
10 щу́пальца, *ед.* **щу́пальце**

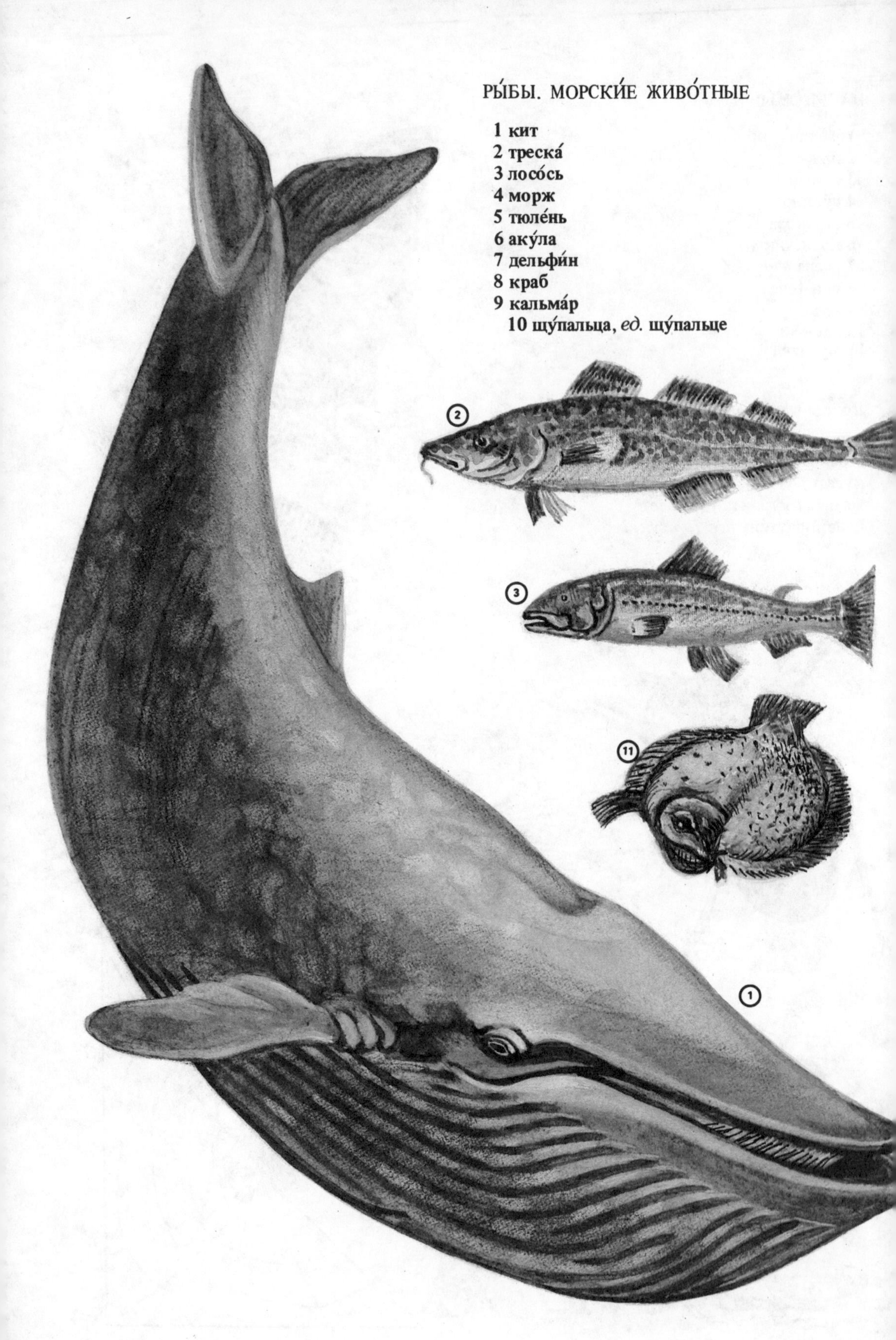

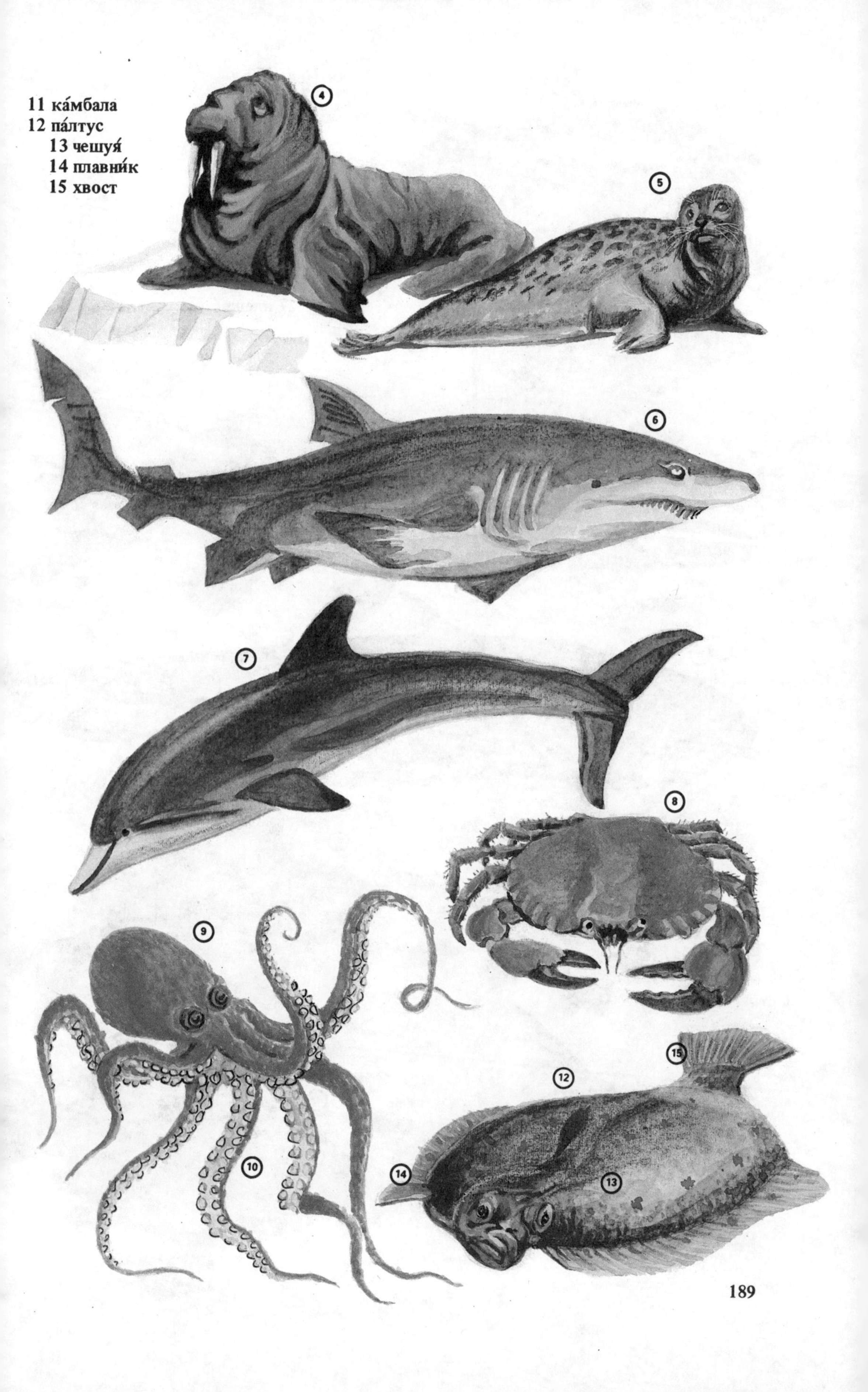
11 ка́мбала
12 па́лтус
13 чешуя́
14 плавни́к
15 хвост
4
5
6
7
8
9
10
12
13
14
15

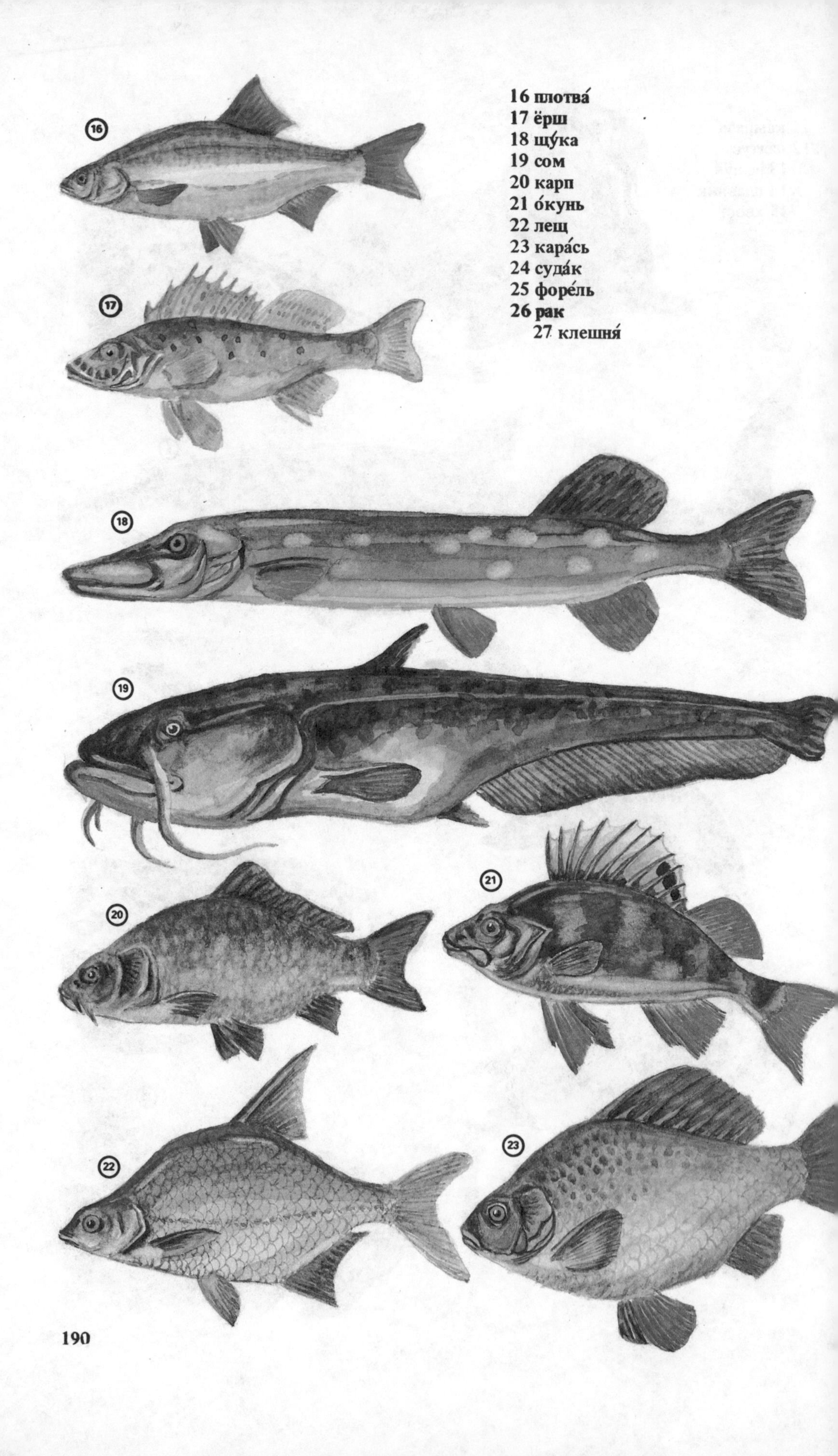
16 плотва́
17 ёрш
18 щу́ка
19 сом
20 карп
21 о́кунь
22 лещ
23 кара́сь
24 суда́к
25 форе́ль
26 рак
27 клешня́
16
17
18
19
20
21
22
23

НА РЫ́БНОЙ ЛО́ВЛЕ

28 **рыба́к**
29 **у́дочка**
30 **крючо́к**
31 **наса́дка**
32 **поплаво́к**
33 **грузи́ло**
34 **ле́ска**
35 **спи́ннинг**
36 **кату́шка**
37 **блесна́**

Дополнительный список

ры́ба
    речна́я ры́ба
    морска́я ры́ба
ры́бная ло́вля
    занима́ться ры́бной ло́влей
рыба́лка *разг.*
    ходи́ть / сходи́ть на рыба́лку
уди́ть *нсв*
    ~ ры́бу
лови́ть / пойма́ть
    ~ ры́бу

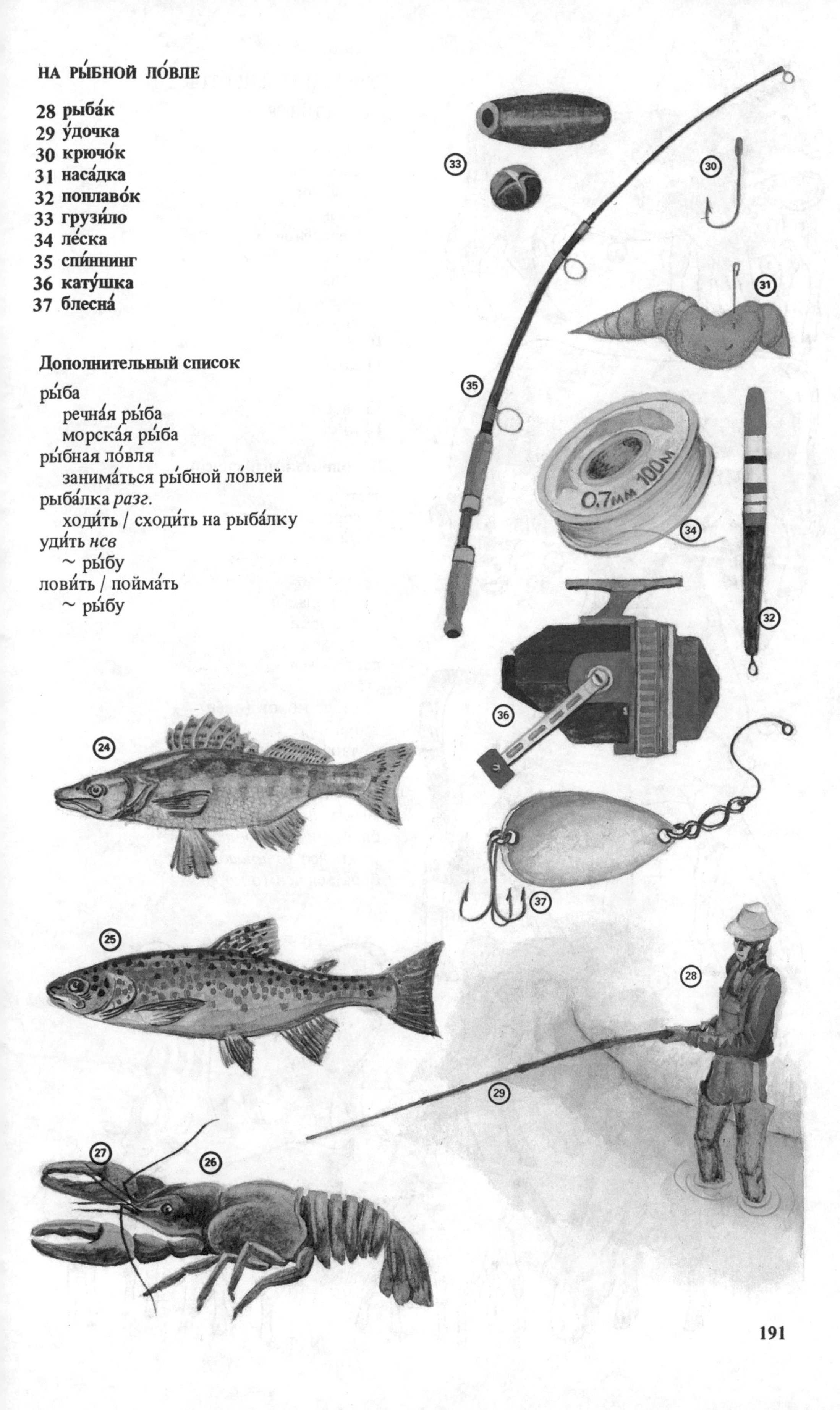

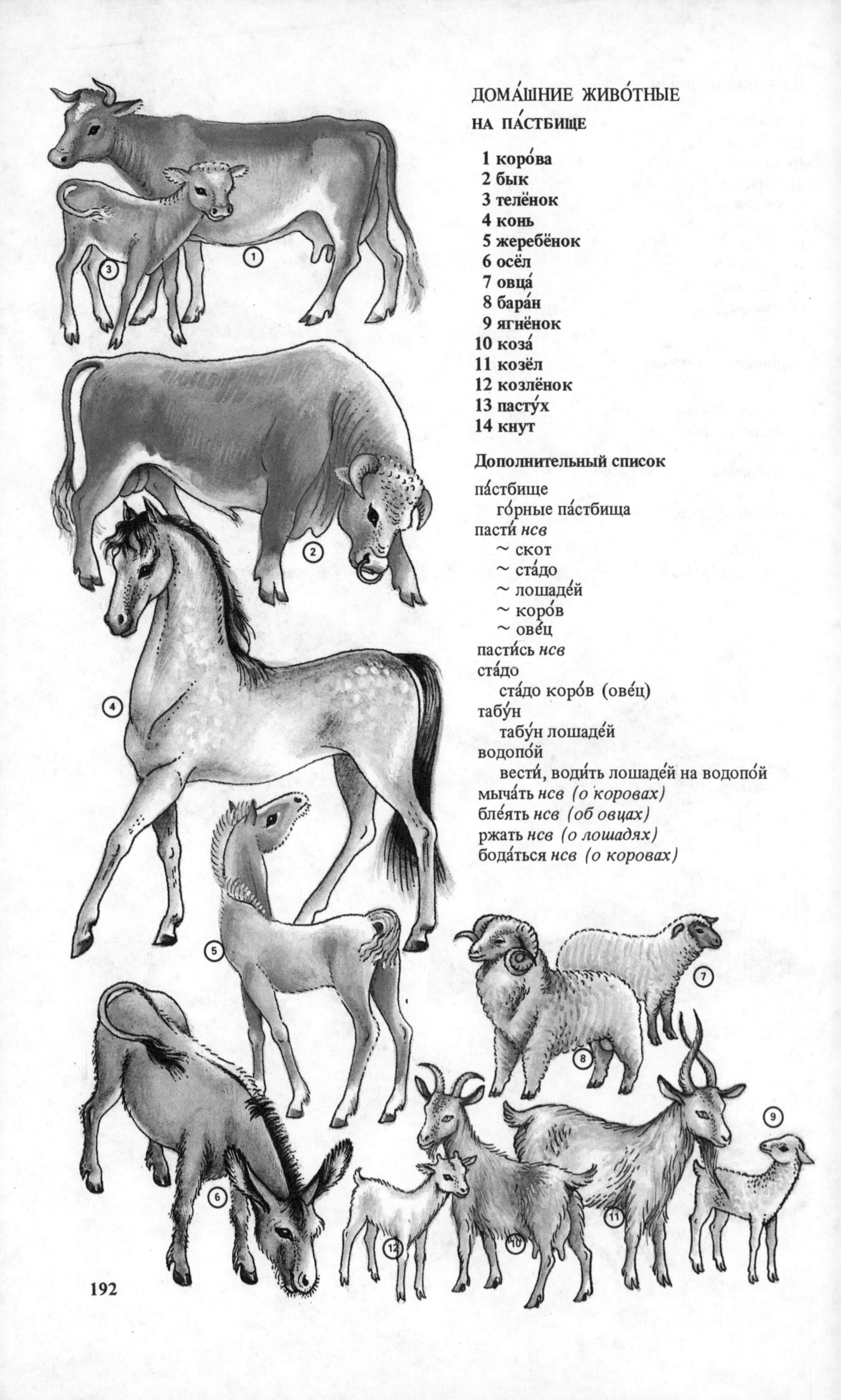

ДОМА́ШНИЕ ЖИВО́ТНЫЕ

НА ПА́СТБИЩЕ

1 коро́ва
2 бык
3 телёнок
4 конь
5 жеребёнок
6 осёл
7 овца́
8 бара́н
9 ягнёнок
10 коза́
11 козёл
12 козлёнок
13 пасту́х
14 кнут

Дополнительный список

па́стбище
    го́рные па́стбища
пасти́ *нсв*
    ~ скот
    ~ ста́до
    ~ лошаде́й
    ~ коро́в
    ~ ове́ц
пасти́сь *нсв*
ста́до
    ста́до коро́в (ове́ц)
табу́н
    табу́н лошаде́й
водопо́й
    вести́, води́ть лошаде́й на водопо́й
мыча́ть *нсв (о коровах)*
бле́ять *нсв (об овцах)*
ржать *нсв (о лошадях)*
бода́ться *нсв (о коровах)*

НА ДВОРЕ́

1 соба́ка
2 конура́
3 щенок
4 кот
5 ко́шка
6 котёнок
7 кро́лик
8 свинья́
9 поросёнок

ДОМА́ШНИЕ ПТИ́ЦЫ

1 пету́х
2 ку́рица
3 цыплёнок
4 гусь
5 у́тка
6 се́лезень
7 утёнок
8 индю́к
9 инде́йка
10 го́лубь
11 голубя́тня

Дополнительный список

держа́ть *нсв*
~ ко́шку (соба́ку, свинью́)
ла́ять *нсв (о собаке)*
куса́ться *нсв (о собаке)*
рыча́ть *нсв (о собаке)*
мяу́кать *нсв (о кошке)*
мурлы́кать *нсв (о кошке)*
цара́паться *нсв (о кошке)*
кря́кать *нсв (об утке)*
кукаре́кать *нсв (о петухе)*
воркова́ть *нсв (о голубе)*
хрю́кать *нсв (о свинье)*

Пространство
Время
Количество
Величина
Мера

1. ПРОСТРА́НСТВО

НАХОЖДЕ́НИЕ В ПРОСТРА́НСТВЕ

1 стоя́ть *(стоять у окна)*
2 лежа́ть *(лежать на кровати)*
3 сиде́ть *(сидеть на стуле)*
4 висе́ть *(висеть на стене)*
5 наверху́ / вверху́ *(стоять наверху)*
6 внизу́ *(стоять внизу)*
7 спра́ва *(появиться справа)*
8 сле́ва *(появиться слева)*
9 напро́тив *(сидеть напротив)*
10 впереди́ *(идти впереди)*
11 сза́ди *(идти сзади)*
12 бли́зко *(находиться близко)*
13 ря́дом *(находиться рядом)*
14 далеко́ *(находиться далеко)*
15 здесь / тут *(находиться здесь, тут)*
16 там *(находиться там)*
17 э́тот, э́та э́то, те *(этот дом, эта сторона, это здание, эти дома)*
18 тот, та, то, те *(тот дом, та сторона, то здание, те дома)*

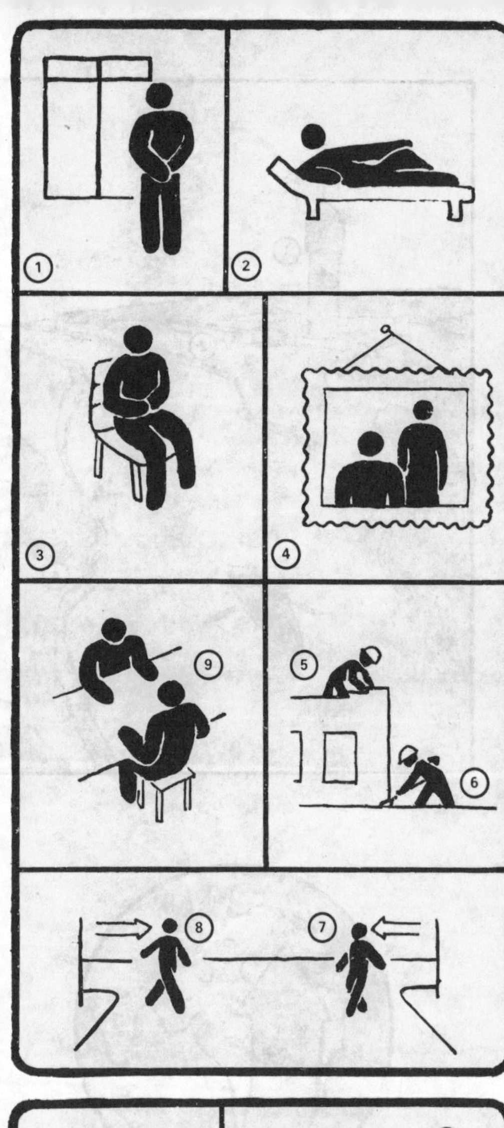

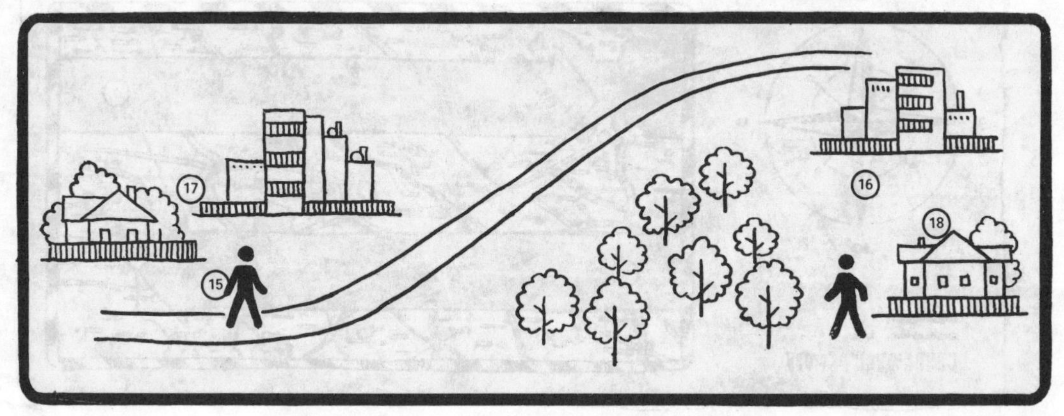

ПОЛОЖЕ́НИЕ, РАСПОЛОЖЕ́НИЕ В ПРОСТРА́НСТВЕ

1 вертика́льный
2 горизонта́льный
3 ле́вый *(левый берег реки)*
4 пра́вый *(правый берег реки)*

НАПРАВЛЕ́НИЕ В ПРОСТРА́НСТВЕ

5 се́верный *(северное направление)*
6 ю́жный *(южное направление)*
7 восто́чный *(восточное направление)*
8 за́падный *(западное направление)*
9 вверх / наве́рх *(подниматься вверх, наверх)*
10 вниз *(спускаться вниз)*
11 пря́мо *(идти прямо)*
12 нале́во *(повернуть налево)*
13 напра́во *(повернуть направо)*
14 вперёд *(посмотреть вперед)*
15 наза́д *(посмотреть назад)*
16 навстре́чу *(идти навстречу)*
17 туда́ *(идти туда)*
18 сюда́ *(идти сюда)*
19 отту́да *(идти оттуда)*
20 отсю́да *(идти отсюда)*

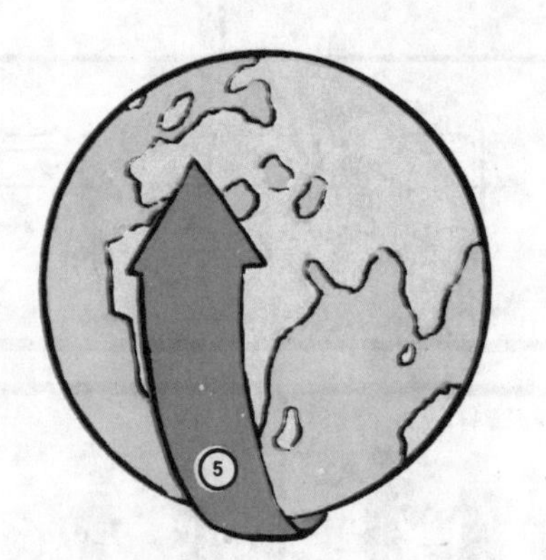

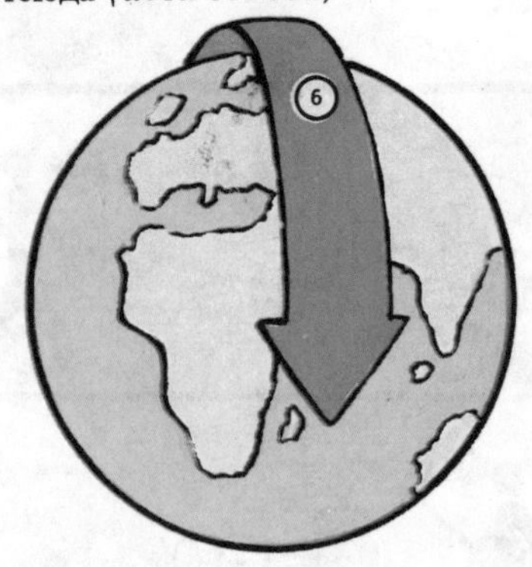

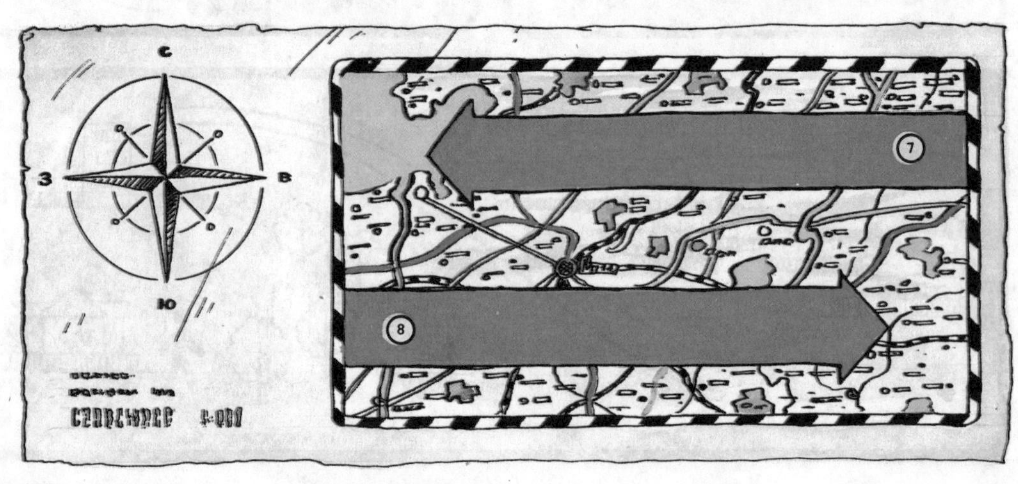

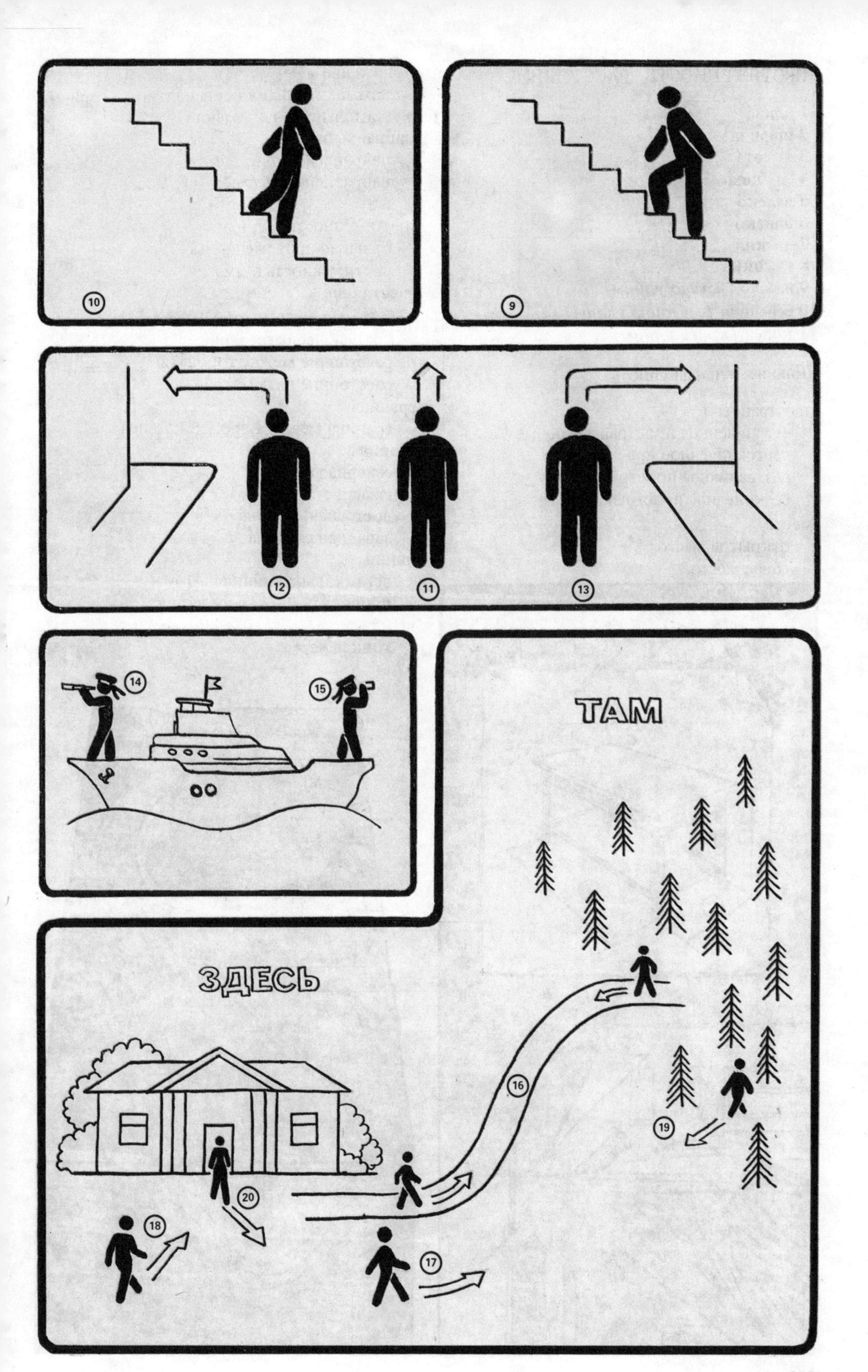
ТАМ
ЗДЕСЬ

ПРОТЯЖЁННОСТЬ. РАССТОЯ́НИЕ

1 длина́
2 ширина́
3 высота́
4 глубина́
5 далеко́
6 бли́зко
7 ни́зкий
8 высо́кий
9 нача́ло *(начало улицы)*
10 середи́на *(середина улицы)*
11 коне́ц *(конец улицы)*

Дополнительный список

простра́нство
  ограни́ченное простра́нство
  неограни́ченное простра́нство
  безграни́чное простра́нство
  бесконе́чное простра́нство
ме́сто
  откры́тое ме́сто
  го́лое ме́сто

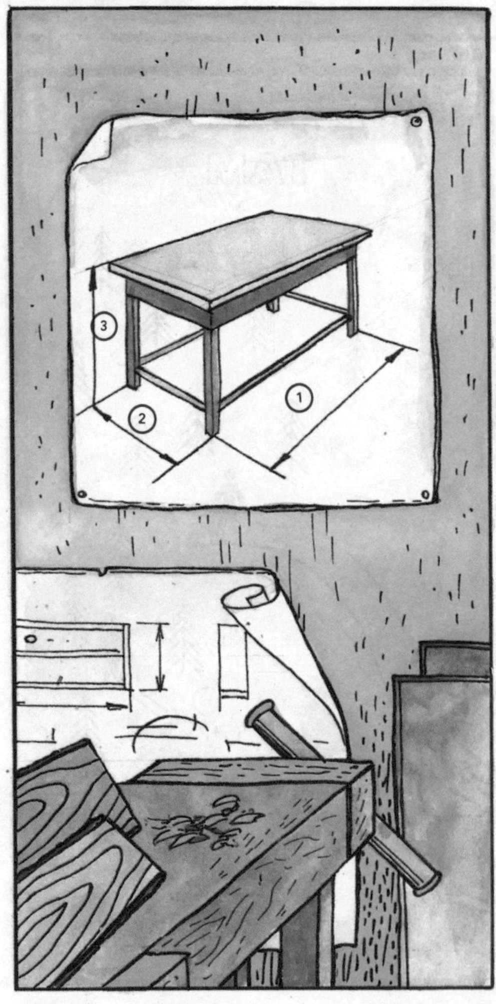

положе́ние
  находи́ться *нсв* в вертика́льном (горизонта́льном) положе́нии
направле́ние
  направле́ние движе́ния
  направле́ние на се́вер (юг, восто́к, за́пад)
протяжённость
  больша́я протяжённость
  протяжённость пути́
расстоя́ние
  большо́е (ма́ленькое) расстоя́ние
  кратча́йшее расстоя́ние
  расстоя́ние между города́ми
  расстоя́ние пять ме́тров
грани́ца
  грани́ца между Евро́пой и Азией
сторона́
  се́верная сторона́
  ю́жная сторона́
  восто́чная сторона́
  за́падная сторона́
ли́ния
  вертика́льная ли́ния
  проводи́ть / провести́ ли́нию
черта́
  то́нкая черта́

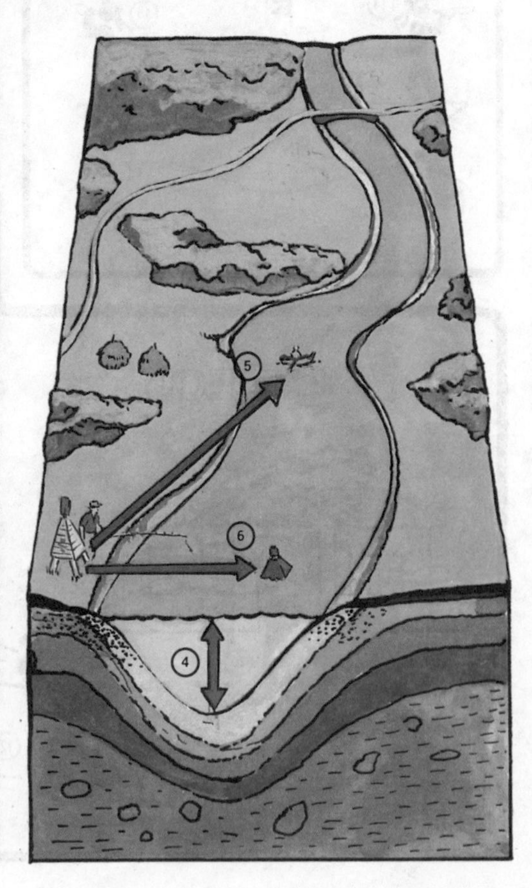

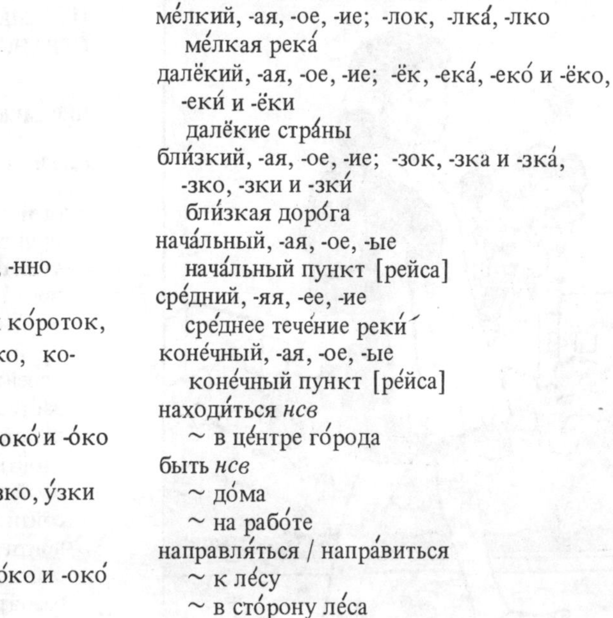

проводи́ть / провести́ черту́

полоса́

широ́кая полоса́

встре́чный, -ая, -ое, -ые

встре́чный ве́тер

бли́жний, -яя, -ее, -ие

бли́жний путь

да́льний, -яя, -ее, -ие

да́льний путь

дли́нный, -ая, -ое, -ые; -нен, -нна, -нно

дли́нный путь

коро́ткий, -ая, -ое, -ие; коро́ток и ко́роток, коротка́, коро́тко и ко́ротко, коро́тки и ко́ротки

коро́ткий путь

широ́кий, -ая, -ое, -ие; -о́к, -ока́, -око́ и -о́ко

широ́кая у́лица

у́зкий, -ая, -ое, -ие; у́зок, узка́, у́зко, у́зки и узки́

у́зкая у́лица

высо́кий, -ая, -ое, -ие; -ок, -ока́, -о́ко и -око́

высо́кий забо́р

ни́зкий, -ая, -ое, -ие; -зок, -зка́, -зко, -зки и -зки́

ни́зкий забо́р

ме́лкий, -ая, -ое, -ие; -лок, -лка́, -лко

ме́лкая река́

далёкий, -ая, -ое, -ие; -ёк, -ека́, -еко́ и -ёко, -еки́ и -ёки

далёкие стра́ны

бли́зкий, -ая, -ое, -ие; -зок, -зка и -зка́, -зко, -зки и -зки́

бли́зкая доро́га

нача́льный, -ая, -ое, -ые

нача́льный пункт [рейса]

сре́дний, -яя, -ее, -ие

сре́днее тече́ние реки́

коне́чный, -ая, -ое, -ые

коне́чный пункт [ре́йса]

находи́ться *нсв*

~ в це́нтре го́рода

быть *нсв*

~ до́ма

~ на рабо́те

направля́ться / напра́виться

~ к ле́су

~ в сто́рону ле́са

ПЕРЕМЕЩЕ́НИЕ, ДВИЖЕ́НИЕ В ПРОСТРА́НСТВЕ

ПЕРЕМЕЩЕ́НИЕ СУБЪЕ́КТА ДЕ́ЙСТВИЯ

ИДТИ́, ХОДИ́ТЬ

1 идти́ *нсв*
прийти́ *св*
уйти́ *св*
войти́ *св*
вы́йти *св*
пройти́ *св*
перейти́ *св*
зайти́ *св*
подойти́ *св*
отойти́ *св*
обойти́ *св*
сойти́ *св*
дойти́ *св*
сойти́сь *св*
разойти́сь *св*

2 ходи́ть *нсв*
приходи́ть *нсв*
уходи́ть *нсв*
входи́ть *нсв*
выходи́ть *нсв*
проходи́ть *нсв*
переходи́ть *нсв*
заходи́ть *нсв*
подходи́ть *нсв*
отходи́ть *нсв*
обходи́ть *нсв*
сходи́ть *нсв*
доходи́ть *нсв*
сходи́ться *нсв*
расходи́ться *нсв*

ЕХАТЬ, ЕЗДИТЬ

3 ехать *нсв*
приехать *св*
уехать *св*
въехать *св*
выехать *св*
проехать *св*
переехать *св*
заехать *св*
подъехать *св*
отъехать *св*
объехать *св*
съехать *св*
доехать *св*
съехаться *св*
разъехаться *св*

4 ездить *нсв*
приезжать *нсв*
уезжать *нсв*
въезжать *нсв*
выезжать *нсв*
проезжать *нсв*
переезжать *нсв*
заезжать *нсв*
подъезжать *нсв*
отъезжать *нсв*
объезжать *нсв*
съезжать *нсв*
доезжать *нсв*
съезжаться *нсв*
разъезжаться *нсв*

БЕЖАТЬ, БЕГАТЬ

5 бежать *нсв*
прибежать *св*
убежать *св*
вбежать *св*
выбежать *св*
пробежать *св*
перебежать *св*
забежать *св*
подбежать *св*
отбежать *св*
сбежать *св*
взбежать *св*
добежать *св*
сбежаться *св*
разбежаться *св*

6 бегать *нсв*
прибегать *нсв*
убегать *нсв*
вбегать *нсв*
выбегать *нсв*
пробегать *нсв*
перебегать *нсв*
забегать *нсв*
подбегать *нсв*
отбегать *нсв*
сбегать *нсв*
взбегать *нсв*
добегать *нсв*
сбегаться *нсв*
разбегаться *нсв*

7 лете́ть *нсв*
- прилете́ть *св*
- улете́ть *св*
- влете́ть *св*
- вы́лететь *св*
- пролете́ть *св*
- перелете́ть *св*
- залете́ть *св*
- подлете́ть *св*
- отлете́ть *св*
- облете́ть *св*
- слете́ть *св*
- взлете́ть *св*
- долете́ть *св*
- слете́ться *св*
- разлете́ться *св*

8 лета́ть *нсв*
- прилета́ть *нсв*
- улета́ть *нсв*
- влета́ть *нсв*
- вылета́ть *нсв*
- пролета́ть *нсв*
- перелета́ть *нсв*
- залета́ть *нсв*
- подлета́ть *нсв*
- отлета́ть *нсв*
- облета́ть *нсв*
- слета́ть *нсв*
- взлета́ть *нсв*
- долета́ть *нсв*
- слета́ться *нсв*
- разлета́ться *нсв*

ПЛЫТЬ, ПЛА́ВАТЬ

9 плыть *нсв*
приплы́ть *св*
уплы́ть *св*
вплыть *св*
вы́плыть *св*
проплы́ть *св*
переплы́ть *св*
заплы́ть *св*
подплы́ть *св*
отплы́ть *св*
сплы́ть *св, разг.*
всплыть *св*
доплы́ть *св*
10 пла́вать *нсв*

ПОЛЗТИ́, ПО́ЛЗАТЬ

11 ползти́ *нсв*
приползти́ *св*
уползти́ *св*
вползти́ *св*
вы́ползти *св*
проползти́ *св*
переползти́ *св*
заползти́ *св*
подползти́ *св*
отползти́ *св*
сползти́ *св*
доползти́ *св*
сползти́ *св*
расползти́сь *св*

12 по́лзать *нсв*
приползáть *нсв*
уползáть *нсв*
вползáть *нсв*
выползáть *нсв*
проползáть *нсв*
переползáть *нсв*
заползáть *нсв*
подползáть *нсв*
отползáть *нсв*
сползáть *нсв*
доползáть *нсв*
сползáться *нсв*
расползáться *нсв*

ЛЕЗТЬ, ЛА́ЗИТЬ

13 лезть *нсв*
влезть *св*
вы́лезти (вы́лезть) *св*
проле́зть *св*
переле́зть *св*
зале́зть *св*
подле́зть *св*
слезть *св*
доле́зть *св*

14 ла́зить *нсв*
обла́зить *св*

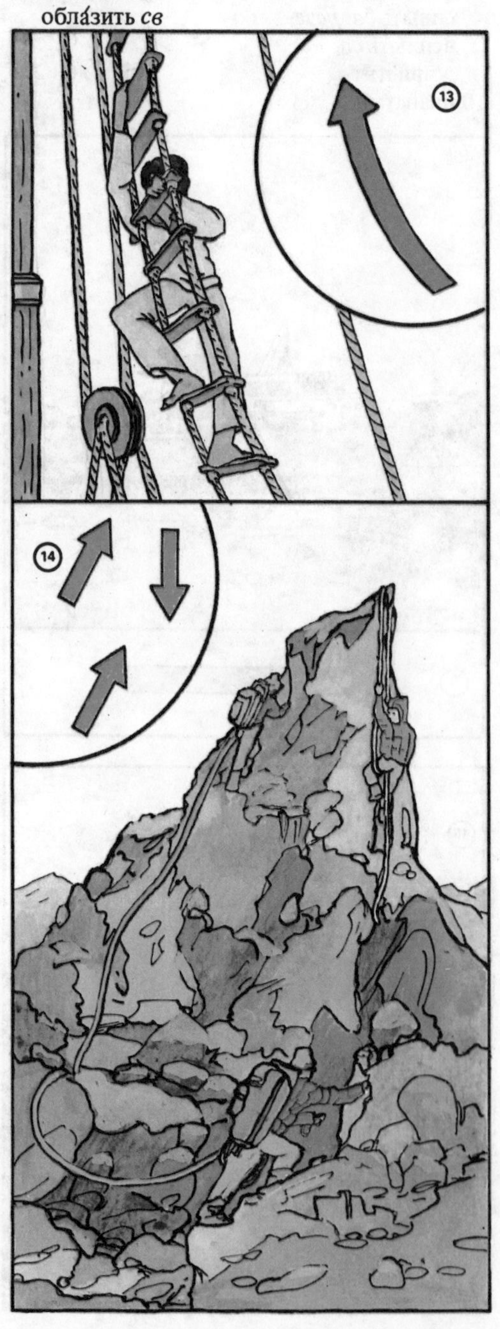

ПЕРЕМЕЩЕ́НИЕ СУБЪЕ́КТА ДЕ́ЙСТВИЯ ВМЕ́СТЕ С ОБЪЕ́КТОМ

НЕСТИ́, НОСИ́ТЬ

1 нести́ *нсв*
принести́ *св*
унести́ *св*
внести́ *св*
вы́нести *св*
пронести́ *св*
перенести́ *св*
занести́ *св*
поднести́ *св*
отнести́ *св*

2 носи́ть *нсв*
приноси́ть *нсв*
уноси́ть *нсв*
вноси́ть *нсв*
выноси́ть *нсв*
проноси́ть *нсв*
переноси́ть *нсв*
заноси́ть *нсв*
подноси́ть *нсв*

ВЕСТИ́, ВОДИ́ТЬ

3 вести́ *нсв*
привести́ *св*
увести́ *св*
ввести́ *св*
вы́вести *св*
провести́ *св*
перевести́ *св*
завести́ *св*
подвести́ *св*
отвести́ *св*
свести́ *св*

4 води́ть *нсв*
приводи́ть *нсв*
уводи́ть *нсв*
вводи́ть *нсв*
выводи́ть *нсв*
проводи́ть *нсв*
переводи́ть *нсв*
заводи́ть *нсв*
подводи́ть *нсв*
отводи́ть *нсв*
своди́ть *нсв*

ТАЩИ́ТЬ, ТАСКА́ТЬ

5 тащи́ть *нсв*
притащи́ть *св*
утащи́ть *св*
втащи́ть *св*
вы́тащить *св*
протащи́ть *св*
перетащи́ть *св*
затащи́ть *св*
подтащи́ть *св*

6 таска́ть *нсв*
вы́таскать *св*
натаска́ть *св*
перетаска́ть *св*

КАТИ́ТЬ, КАТА́ТЬ

7 кати́ть *нсв*
прикати́ть *св*
укати́ть *св*
вкати́ть *св*
вы́катить *св*
прокати́ть *св*
перекати́ть *св*
закати́ть *св*
подкати́ть *св*
откати́ть *св*

8 ката́ть *нсв*
доката́ться *св*
score ската́ть *св*

ГНАТЬ, ГОНЯ́ТЬ

9 гнать *нсв*
пригна́ть *св*
угна́ть *св*
вогна́ть *св*
вы́гнать *св*
прогна́ть *св*
перегна́ть *св*
загна́ть *св*
подогна́ть *св*
отогна́ть *св*
согна́ть *св*
обогна́ть *св*
догна́ть *св*

10 гоня́ть *нсв*
пригоня́ть *нсв*
угоня́ть *нсв*
вгоня́ть *нсв*
выгоня́ть *нсв*
прогоня́ть *нсв*
перегоня́ть *нсв*
загоня́ть *нсв*
подгоня́ть *нсв*
отгоня́ть *нсв*
сгоня́ть *нсв*
обгоня́ть *нсв*
догоня́ть *нсв*
разгоня́ть *нсв*

Дополнительный список

движе́ние
направле́ние движе́ния
ско́рость движе́ния
перемеще́ние
перемеще́ние те́ла в простра́нстве
ход
ускоря́ть / уско́рить ход
прихо́д
прихо́д на рабо́ту
ухо́д
ухо́д с рабо́ты
вход
вход в метро́
вы́ход
вы́ход из метро́
перехо́д
перехо́д на другу́ю сто́рону [у́лицы]
ходьба́
бы́страя (ме́дленная) ходьба́
до́лгая ходьба́
езда́
бы́страя (ме́дленная) езда́
пое́здка
пое́здка за́ город
прие́зд
прие́зд роди́телей
узнава́ть / узна́ть о прие́зде
въезд
въезд в го́род
вы́езд
вы́езд из го́рода
прое́зд
беспла́тный прое́зд
перее́зд
железнодоро́жный перее́зд
отъе́зд
день отъе́зда
объе́зд
бег
пла́вание
пла́вание на ло́дках
прилёт
прилёт птиц
вы́лет
вы́лет самолёта
перелёт
перелёт птиц
отлёт
отлёт птиц
взлёт
взлёт самолёта
шага́ть
широко́ шага́ть
дви́гаться / дви́нуться
~ по доро́ге
спеши́ть / поспеши́ть
~ на по́езд
~ на самолёт
отстава́ть / отста́ть
~ от экску́рсии
пешко́м
ходи́ть пешко́м
ша́гом
идти́ ша́гом
тороплив́о
неторопли́во

2. ВРЕ́МЯ

ЧАСЫ́

1 насте́нные часы́
2 циферблáт
3 стре́лки часо́в
4 часова́я стре́лка
5 мину́тная стре́лка
6 секу́ндная стре́лка
7 ма́ятник
8 насто́льные часы́
9 буди́льник
10 звоно́к
11 нару́чные / ручны́е часы́
12 ремешо́к

Дополнительный список

часы́
заводи́ть / завести́ часы́
проверя́ть / прове́рить часы́
сдава́ть / сдать часы́ в ремо́нт
вре́мя
то́чное вре́мя
идти́ *(о часах)*
стоя́ть *(о часах)*
спеши́ть *(о часах)*
отстава́ть / отста́ть *(о часах)*

СКО́ЛЬКО ВРЕ́МЕНИ? КОТО́РЫЙ ЧАС?

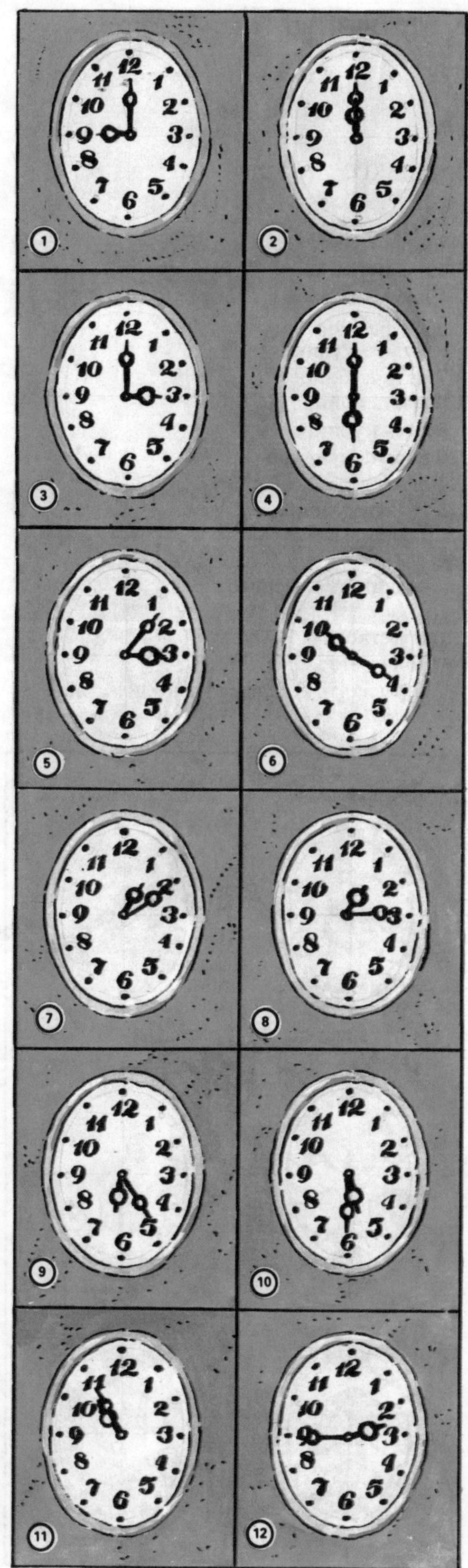

1 9 (де́вять) часо́в и́ли 21 (два́дцать оди́н) час
2 12 (двена́дцать) часо́в и́ли 24 (два́дцать четы́ре) часа́
3 3 (три) часа́ и́ли 15 (пятна́дцать) часо́в
4 6 (шесть) часо́в и́ли 18 (восемна́дцать) часо́в
5 четвёртый час
6 10 (де́сять) часо́в 20 (два́дцать) мину́т = де́сять два́дцать
7 де́сять мину́т второ́го = час де́сять
8 че́тверть второ́го = час пятна́дцать
9 два́дцать пять мину́т седьмо́го = два́дцать пять седьмо́го
10 полови́на шесто́го = полшесто́го = пять три́дцать
11 без пяти́ мину́т оди́ннадцать = без пяти́ оди́ннадцать
12 без пятна́дцати (без че́тверти) три
13 о́коло двух часо́в дня (но́чи)

Дополнительный список

Когда́? В кото́ром часу́?
в 13 (трина́дцать) часо́в
в 6 (шесть) часо́в утра́
в 12 (двена́дцать) часо́в дня
в 12 (двена́дцать) часо́в но́чи
полчаса́
вре́мя
приходи́ть / прийти́ в шко́лу ра́ньше вре́мени
во́время
приходи́ть / прийти́ на уро́к во́время
сего́дня
вчера́
позавчера́
за́втра
послеза́втра
день
су́тки
неде́ля
ме́сяц
год
век

3. КОЛИ́ЧЕСТВО. ЧИСЛО́

СКО́ЛЬКО?

1 ноль
2 оди́н ку́бик
3 два ку́бика
4 две ро́зы
5 три ку́бика
6 четы́ре ку́бика
7 пять ку́биков
8 шесть ку́биков
9 семь ку́биков
10 во́семь ку́биков
11 де́вять ку́биков
12 де́сять ку́биков

Дополнительный список

коли́чество *обычно ед.*
    коли́чество предме́тов
    определя́ть / определи́ть коли́чество

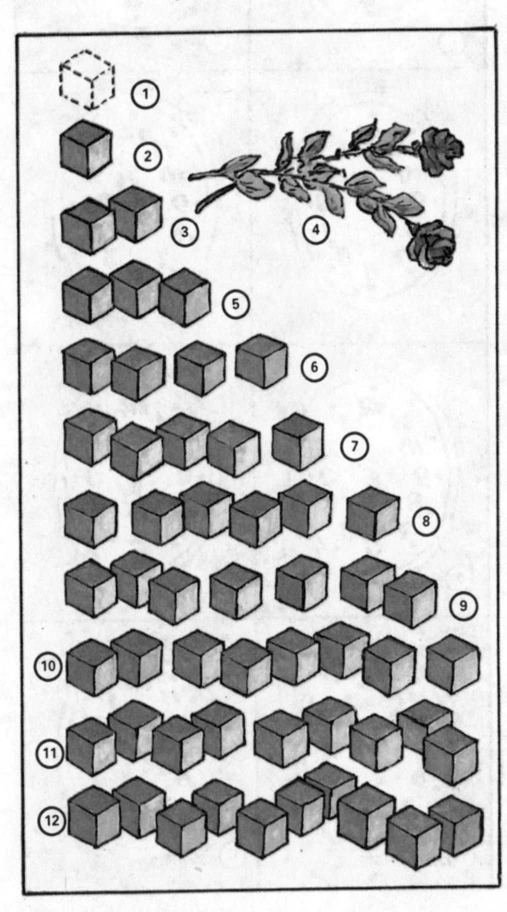

число́
    число́ 5 (пять)
    скла́дывать / сложи́ть чи́сла
ци́фра
    ци́фра оди́н
    называ́ть / назва́ть ци́фру
    писа́ть / написа́ть ци́фру
полтора́
    полтора́ рубля́
дво́е
    дво́е ю́ношей
    дво́е су́ток
    дво́е медвежа́т
тро́е (че́тверо, пя́теро, ше́стеро, се́меро)
    тро́е ю́ношей
    тро́е су́ток
    тро́е медвежа́т
па́ра
    па́ра брюк *разг.*
едини́ца
дво́йка
тро́йка
четвёрка
пятёрка
шестёрка
семёрка
восьмёрка
девя́тка
деся́тка
деся́ток
    деся́ток карандаше́й
сто
    сто рубле́й
со́тня
    со́тня шаго́в
ты́сяча
    ты́сяча рубле́й
миллио́н
    миллио́н рубле́й
мно́го
    мно́го знал
    мно́го книг
ма́ло
    ма́ло знал
    ма́ло книг
немно́го
ско́лько
    ско́лько книг
сто́лько
    сто́лько книг
не́сколько
    не́сколько книг
не́который
    не́которое вре́мя
вдвоём
втроём
вчетверо́м

два́жды
повторя́ть / повтори́ть два́жды
счита́ть / сосчита́ть
~ до 10 (десяти́)
~ до 100 (ста)
~ до 1000 (ты́сячи)
увели́чивать / увели́чить
~ число́
~ коли́чество
уменьша́ть / уме́ньшить
~ число́
~ коли́чество
скла́дывать / сложи́ть
~ два числа́
су́мма
су́мма двух чи́сел
вычита́ть / вы́честь
умножа́ть / умно́жить
дели́ть / раздели́ть
сложе́ние
вычита́ние
умноже́ние
деле́ние

4. ВЕЛИЧИНА́. РАЗМЕ́Р

КАКО́Й ПО РАЗМЕ́РУ?

1 большо́й мяч
2 сре́дний мяч
3 ма́ленький мяч

Дополнительный список

величина́
величина́ площа́дки
измеря́ть / изме́рить величину́
разме́р
разме́р ко́мнаты
объём
объём сосуда
полови́на
полови́на буты́лки
треть
треть пути́
че́тверть
че́тверть стака́на
огро́мный, -ая, -ое, -ые; -мен, -мна
огро́мный по разме́ру
небольшо́й
небольшо́й по величине́

5. ИЗМЕРЕ́НИЕ. МЕ́РА

МЕ́РА ДЛИНЫ́

4 миллиме́тр
5 сантиме́тр
6 дециме́тр
7 метр
8 киломе́тр

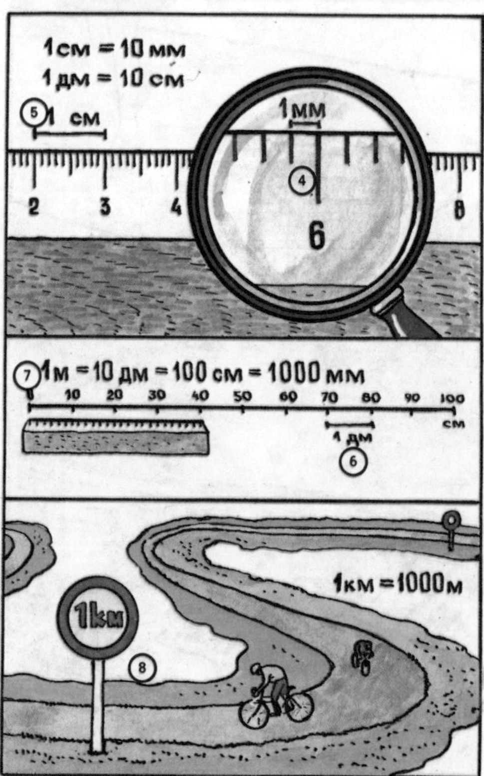

Дополнительный список

измеря́ть / изме́рить
  ~ длину́
отмеря́ть / отме́рить
  ~ три ме́тра тка́ни
измере́ние
  измере́ние длины́ (ширины́, высоты́)
  едини́ца измере́ния

МЕ́РА ПЛО́ЩАДИ

1 квадра́тный сантиме́тр
2 квадра́тный дециме́тр
3 квадра́тный метр
4 гекта́р
5 квадра́тный киломе́тр

МЕ́РА ВЕ́СА

1 грамм
2 килогра́мм
3 це́нтнер
4 то́нна

Дополнительный список

вес
  вес това́ра
ве́сить *нсв*
  ры́ба ве́сит 3 (три) килогра́мма
ве́шать / *разг.* све́сить, све́шать
  ~ това́р
взве́шивать / взве́сить
  ~ проду́кты

ME´PA ОБЪЁМА

1 литр
2 пол-ли́тра
3 куби́ческий сантиме́тр
4 куби́ческий дециме́тр
5 куби́ческий метр / кубоме́тр

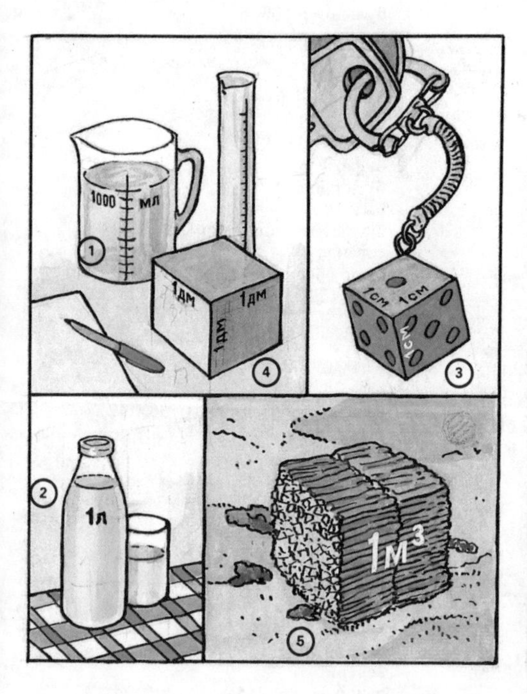

ME´PA Е´МКОСТИ

1 буты́лка
2 ба́нка
3 ведро́
4 бо́чка
5 мешо́к
6 паке́т
7 коро́бка

ИЗМЕРИ́ТЕЛИ

1 **сантиме́тр**
2 **лине́йка**
3 **уго́льник**
4 **руле́тка**
5 **транспорти́р**
6 **ци́ркуль**
7 **весы́** *только мн.*
8 **ги́ри,** *ед.* **ги́ря**
9 **термо́метр**

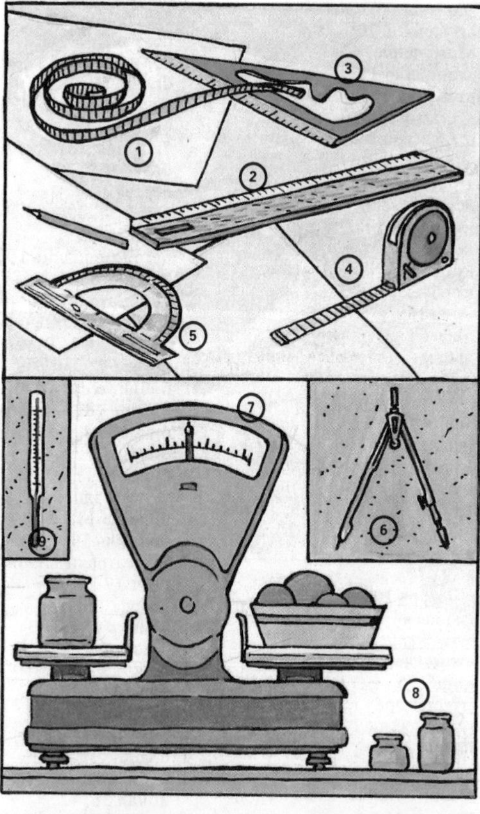

УКАЗАТЕЛЬ

А

Б

В

З

И

К

Н

О

80025 75540

Иллюстрированный
тематический